LANGS HET TUINPAD VAN MIJN VADEREN

1987

4

Edward Boorms

Dit boek is in het jaar 2007
bij hun vakantie in Holland
aan Frits en Dikky Webbs cadeau
gedaan
Van broertje kees en Schoon zus
Het Sluik

Voor mijn zoons
En mijn broers.
En ode voor mijn vaderen

LANGS HET TUINPAD VAN MIJN VADEREN

UITGEVERSMAATSCHAPPIJ J.H. KOK ~ KAMPEN

2

dat logeren bij Oom Dirk op Flakkee heeft toch
behoorlijk indruk op me gemaakt.

Het was in de zomer van 1944 - dus dik 40 jaar
geleden maar nog altijd - en gek genoeg
hoe ouder ik word hoe vaker - zie ik sommige
dingen van toen glashelder voor me ..

← Het Steetje van Oom Dirk en de beide bruggen
over de Boezem, die tjokvol stekelbaarsjes zat.
de brede brug was er alleen voor het stoomtrammetje
dat om de twee uur langstufte.
Soms, als hij je zag zitten vissen, gooide de machinist
een slof briquet vlak voor je in het water ..

5

voor mensen met een fiets - iedereen op het eiland -
was die smalle brug nogal ongemakkelijk.
het maakte niet uit aan welke kant van de fiets je liep:
't was allemaal niks; of je werd door het meestal
zwaar beladen*) rijwiel bijna uit je evenwicht getrokken
of je liep je knokken af te schaven langs het hekje.
Niemand had het lef er fietsend over te gaan.

*) de eilanders hebben altijd een jute zak bij zich
   voor het geval je zomaar ergens een maaltje
   aardappelen of juun ziet liggen.

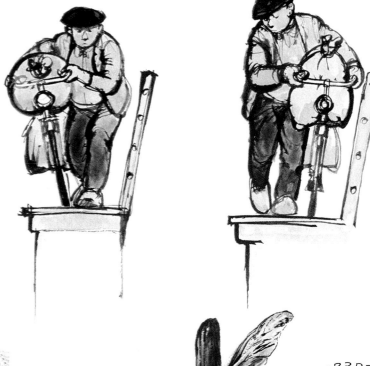

RRRRRRRRR

als ik het vanuit mijn
logeerkamer (boven, rechts)
bekeek - links:
breeduit vrolijk, avontuurlijk,
luidruchtig met joelerige
stoomfluit!
rechts: ernstig bedachtzaam
schoorvoetend..
moest ik altijd aan de
plaat van de brede en de
smalle weg denken

Ook waar het geluiden betreft heb ik nog
duidelijke herinneringen.
het langs snorren van een Bonte Kees
als we na het avondpraatje op de Kaai
op huis aan wandelden
en hoe ik er dan tegenopzag om daar
aan te komen vanwege die lelijke
vergruizel knarsgeluiden van
voetstappen in grint.

achter dat verlichte raam waar tante Marie
verstelwerk zat te doen kreeg ik dan nog een
kop chocolademelk en dan hup naar bed.

7

en als ik dan boven gekomen voor het open raam in de donkere nacht stond te kijken was er behalve het tikken van m'n vaders horloge achter me en heel soms het geplons van een vis in de Boezem ergens voor me
helemaal NIETS te horen!

dat was schitterend.

en naar buiten hangend snoof ik de heerlijke geuren van hooi en juin

O, o, wat hield ik dan van Flakkee !!

en of het schilderachtige landleven nog niet boeiend genoeg is staan er op een boekenplankje op zolder ook nog eens drie delen van Dik Trom !

de muffe lucht van oude boeken vermengd met de lucht van gedroogde appeltjes — ik ruik het nog.

even later wegzakkend in de slaap overzag ik dan ongelukkig hoe mooi het allemaal in elkaar paste ...

het weten dat ik samen met
de beide paarden
onder één en 't zelfde dak
de nacht mocht ingaan
bezorgde me ook altijd
weer een mooi,
vredig gevoel

ik was een héél groot bewonderaar van de goedige mannetjesputters !

raar woord eigenlijk...

tussen
haakjes

de werkelijke betekenis - dat kan toch
niet anders - is natuurlijk Mannetjes-putter,
zoals vrouwtjes-merel
evengoed triest dat zo'n vogeltje
putter werd genoemd — vroeger werden ze in
kooitjes gehouden en
moesten zelf hun drinkwater putten met behulp
van een miniatuur emmertje

9

en ik ben nog steeds een groot bewonderaar
van het Zeeuwse paard en de Bels.

Ik hou van deze paardelijven

dat beentje over gaat met een sierlijkheid die je niet
verwacht had

13

14

dat er toen veel paarden op het eiland waren
was allerwegen goed te zien!

en waar jongens van vandaag-de-dag
moeten wachten tot er sneeuw ligt om elkaar
te kunnen bekogelen

hoefde je hier niet naar munitie te zoeken

de kluchten mussen die om de paarde hopen zwermden waren vanwege
de schade aan het koren vogelvrij. Bijna iedere jongen had dus
een

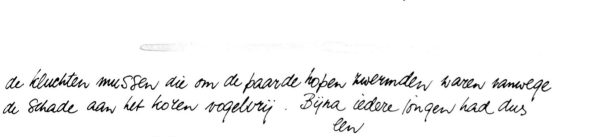

No. 2119. **Musschenklem, van fijn
koperdraad, sterk veerend.**
Prijs 3 ct.

de klem werd tussen de
paardedrollen geplaatst en –
pats!

de premie was 2 cent voor
een mus

1 cent voor een eitje

16

dat maakte het logeren
bij Oom Dirk extra spannend.
dat 't op een eiland was.
je kwam er niet zómaar, nee dat was een
hele reis. eerst van Rotterdam met het stoomtrammetje
naar Hellevoetsluis, daar met de stoomboot naar het Hoofd
van Middelharnis (Menheerse) en daar stond het treintje te wachten
dat je langs het steetje van Oom Dirk naar Ouddorp bracht

dat àlles wat je zag - van grote kerken
tot nootmuskaat raspjes met de boot over
water gebracht was!

ondoorlijk

het eiland
Goeree Overflakkee

ik had toen ik daar logeerde er natuurlijk aan moeten denken hoe
mijn Vader in zijn jongensjaren precies zo
bij Oom Dirk z'n vakanties doorbracht

maar of ik was te druk bezig met het
verwerken van alle indrukken

of misschien is dat te moeilijk
voor een kind om zomaar
een generatie terug te kijken...

nu zouden we daar leuk
over kunnen praten samen
maar dat kan niet
want mijn vader is
er niet meer.

met mijn grootvader zou ik ook
schitterend over Flakkee hebben kunnen
praten maar toen hij overleed
was ik 5 jaar

mijn opa
MARINUS POORTVLIET
1878 - 1938

18

Het zal zo rond 1900 geweest zijn toen mijn Opa het eiland Flakkee verliet om in Rotterdam z'n heil
te gaan zoeken.
hij staat hier naast zijn vader de oude Sakries, voor hotel Meyer in Middelharnis.
Zo aanstonds zal Marinus afscheid nemen, aan boord gaan van de Menheerse boot
en dan is de kogel door de kerk.

20

Het is ook mogelijk dat mijn opa niet in Menheerse
maar in Dirksland bij een beurtschipper
aan boord stapte.

hier ziet U Marinus tussen z'n vader en moeder in
over de Kaai lopen
ze komen van de Straetdiek waar de familie woont.

maar eigenlijk is 't niet zo belangrijk of-ie zich
nou in Middelharnis of Dirksland inscheepte —
't gaat erom dat rond de eeuwwisseling mijn
grootvader het eiland Goeree Overflakkee
verliet.   en dat was een hele stap!

de boot is uit het zicht en Krijna en Sakries zijn weer thuis - het leven van alle dag.
en terwijl Dirksland er vredig en gaaf bijligt..

22

Zoekt de jonge emigrant
door morsige en rumoerige
straten de weg naar
zijn kamertje

aan het eind van de dag is hij waar hij wezen wil ..
en daar staat-ie dan . een boerenjongen
in een of ander achterkamertje . drie hoog .

hij zal z'n best doen netjes Hollands te leren spreken .
de mensen grinnikten hem te vaak
als-ie de weg vroeg .

en wanneer hij voor het slapen gaan
uit het raam kijkt is er van de
sneeuw niets meer te zien

24

En Dirksland gaat sierlijk bestoven de nacht in .

u zou kunnen denken: waar haal je nou die sneeuw vandaan?
het is waar : ik weet niet eens in welk jaar mijn opa ging
laat staan het seizoen .
maar de afbeelding « afscheid op de kaai » heb ik nou
eenmaal in de sneeuw gesitueerd
en daar moet ik dan wel mee doorgaan –

en, bovendien, zo'n stap als het verlaten van 't ouderlijk huis
doe je op een vrolijke zomerdag heel wat luchthartiger denk ik —

Ouddorp

dan 's winters wanneer de uitgestrekte akkers verlaten zijn
en de mensen het van huiselijkheid moeten hebben; kachel roodgloeiend,
Spruitjes, petroleumlamp vroeg aan -

28

trouwens, wat dacht je van zo'n zwaarmoedige
— regendag?

en jij dan zogezegd de wijde wereld in!
Terwijl de mensen thuis
nog maar eens een
bakje koffie doewe .

verschrikkelijk toch ..

klaarwakker in het
vreemde bed ligt-ie
in het donker zomaar
wat beelden te bekijken
—
de Straatdijk te
Dirksland waar
hij is opgegroeid.

hij zou een boodschap
doen voor de buurvrouw
die uitkijkt waar
Mariën blijft.

misschien moest-ie nogal kittig
lang wachten omdat een paar
vrouwen voor hem uitgebreid
een dorps nieuwtje doornamen..

... over iemand op de voorstraat
die het kennelijk niet best maakte
want er was gestrooid!

(ze gooiden toen stro voor het
huis waar iemand heel ziek
lag om de geluiden van de
paardenwagens te dempen)

en misschien had-ie wel
gewoon te lang staan kijken
bij de trevalje in de
voorstraat ...

waar altijd bedrijvigheid was

34

behalve op de dag des Heeren als iedereen ter Kerke trok

van heinde en ver gingen
de zwarte figuurtjes
richting Godshuis

Sommigen zelfs van knàp ver ...
(bij vies weer zetten de vrouwen
de keuvel pas op als ze in het
dorp bij familie zijn)

37

wie 's zondags niet in de kerk zat:

het koeienwachtertje
_____

alle dagen van de week hoedde
hij langs de dijken
de koeien van z'n baas.

weer of geen weer

38

...o tegen half
...ijf opstaan ...

... en dan met stikzak
en waterkruik op weg
naar de boer.
savavond om zes uur
is-ie weer thuis.

niet een volwassen
arbeider
maar vaak
niet ouder dan
negen, tien jaar ...

↑
Slikvanger, linnen beenkap, voorloper van de kaplaars.

het waren vreselijk lange dagen waarin het ventje
zich een ongeluk verveelde

en als er eens
iemand langskwam
vroeg-ie steevast
hoe laat het was ...

39

40

dat was een hele klus voor zo'n ventje.
als in de zomer de sloten droog stonden wilden de koeien steeds
de akkers met gewassen op en hou ze dan maar eens tegen.
en als hij dan eindelijk op huis-aan mocht kon hij de pech hebben dat ze
wind en regen tegen hadden zodat hij de beesten - die altijd met de
kont naar de regen staan - met geen mogelijkheid de goeie kant op kreeg -

kinderen moesten poot-aan spelen.
meisjes in de veelal grote
gezinnen waren heel wat
mans als „hulpmoeder"

er zijn ook gevallen bekend
van jonge meisjes die na het
overlijden van moeder
de leiding overnamen —

- en een hele rits broertjes en zusjes piekfijn grootbrachten
terwijl vader maar af en toe van zee thuiskwam

dat was gewoon een wet:
je laat je handen gaan.

zodra je uit school thuis was,
iedere dag hetzelfde:
eerst 20 toeren aan de kous breien.

(iedereen droeg gebreide kousen)
moeders die het konden missen
deden wel eens een verduitenstik
(vier duiten) midden in de kluwe

na de verplichte 20 toeren
kon je buiten spelen.

het in 1659 gebouwde *Blauwe Huis* . *Keesje Bok* – hij staat daar met z'n zus – is er geboren

48

hij weet nog goed hoe het in zijn
jongensjaren toeging.
Op de Slikken van de Grevelingen
had Kees z'n vader een zalm stal,
een van berken- of rijshout
gebouwde fuik

LAND

WATER

300 M.

500 M.

HAAK

tweemaal per etmaal moest de fuik
geïnspecteerd worden. d.w.z. kijken
of er na het wegtrekken van hoogwater
een zalm in het dieper gelegen meertje
binnen de haak was achtergebleven.
als er weinig meeuwen boven vlogen
(dat kon je van de dijk al zien)
was dat een gunstig teken.

49

bij daglicht kon iemand de zaak in z'n eentje mannen, maar 's nachts was dat moeilijker.
dan nam vader Bok keesje nogal 's voor op de fiets.
"wie een lantaarn kan vasthouden – kan ook mee!"
dan moest-ie bijlichten als vader probeerde de zalm
met het schepnet te bemachtigen.

't gebeurde vaak dat kees erbij stond te knikkebollen
zelfs dat-ie een keer slapend omviel –
lantaarn uit, lucifers nat ...

het vangen van de zalm met het schepnet moest meteen 'raak zijn,
een tweede keer liet de zalm zich zo niet
beetnemen.

dan moest het
omslachtige gedoe
met het sleepnet
er aan te pas
komen.

was de zalm gevangen dan kreeg-ie
met een speciaal houtje een tik op de neus.
één zalm per tij was helemaal niet gek. an winter zalm woog 20 à 30 pond

thuisgekomen kon Kees weer onder de wol
en vader pakte de zalm in dik stro (er was geen ijs)
in een speciale mand
en bracht die vlug naar Breen
die met zijn rijtuigje reizigers naar de
Stellendamse boot vervoerde.

zo'n vis moest zo snel mogelijk naar Rotterdam

op de fiets op
huis aan.

Kees voorop,
de zalm, de lies-
laarzen en een
bak zootje haring
uit een apart fuikje
en passant mee
genomen achterop

met de bakharing op een kruiwagen gingen Kees en z'n zus venten.
10 haringen voor een dubbeltje.
't was nog een heel karwei ze te slijten – de één had ze pas
nog gegeten, de ander had niet het petroliestel schoon ..
maar dat was het niet; de mensen hadden geen geld.

als het rijtuig van Breen
niet reed omdat er die dag
geen klanten waren
moest vader Bok de zalm
zelf naar Stellendam brengen.

en toen hij nog niet
zo rijk was een fiets
te bezitten moest dat te voet

't is wel geweest dat z'n moeder
hem met z'n slikkezakje stond op
te wachten — kon-ie meteen door naar het
land

Het hele najaar liep Keesje Bok langs 's Heeren wegen naar van de
wagens gevallen cichorei wortels te zoeken (men maakte Surrogaatkoffie van de
wortels die er net zo uitzien als witlof)

hoewel er meestal wel een knechtje
achter de wagen liep om op te rapen
wat er afviel vond je er wel eens een.

Thuis bewaarde Kees de
gevonden wortels onder
't zand

en aan het
eind van het Seizoen
bracht-ie ze naar de fabriek

met zo'n 20 weken zoeken heeft-ie toch een keer
het Schitterende bedrag van f 6.25 bij elkaar gehad!

mijn neef Jan weet nog goed hoe hij als kind grienend zwoegde om die zware ploeg te keren. en in de verste verten niemand om te helpen..

toen mijn nicht Neeltje van school kwam
mocht ze van vader kiezen: óf ze nam een dienstje,
óf ze kreeg 8 koeien te verzorgen

zo doende hadden drie zusjes (17, 15 en 12) het beheer
over 24 koeien

d.w.z: melken, voeren,
← bieten malen,
uitmesten,
karnen,
de melk uitventen
in het dorp ...

en als de 6 paarden naar het land
waren ook die stallen uitmesten.

de handen uit
de mouwen

en bij het vaatwassen
werd gezongen
zo leerde je meteen het
psalmversje voor
Maandagmorgen

en als je 's winters avonds in de
warme kamer zit te lezen kun je tegelijk
een kittig stuk breien.

„ een paardetand en een
vrouwehand moeten niet
stilstaan "
zeiden ze toen

50

d'r waren ook zat kinderen
die van de armoe amper lezen en schrijven konden –
zo vaak hadden die moeten spijbelen om op het land
te gaan werken

om half vijf 's morgens liepen er al jongens over de dijken
naar de boer. vaak een mars van een uurtje.

dan moesten ze eerst de paarden uit de wei halen want de knechts
moesten zodra die aankwamen meteen aan de slag

dat waren lekker goedkope krachten
die knechtjes van een jaar of twaalf!

's avonds op weg naar huis
sneed zo'n snuitertje dan nog
een zak gras voor z'n konijnen
(die hij niet voor de aardigheid hield)

59

het gebeurde ook wel dat-ie niet alleen moe maar ook nog es
doornat van de regen thuiskwam –
kon-ie naast z'n vader die ook net van z'n werk kwam
voor de kachel gaan zitten kijken
hoe hun kleren hingen te stomen — andere kleren
hadden ze niet

ook op de vissersboten werkten heel wat jongens
en dat was natuurlijk wel leuk om je vriendjes
op zondag tussen de kerkdiensten te laten zien
op welk schip je zat.

leuker dan de volgende
ochtend vroeg .

dat waren zware dagen op zee
en het duurde knap lang voor
de week om was
en de schepen weer binnen lagen

No. 1770. **Trein,** bestaande uit locomotief met solied uurwerk, kolenwagen en 2 personenwagens op ronde rails loopend, 55 c.M. doorsnede spoorwijdte 35 m.M., met reminrichting. Prijs **fl. 1.80**

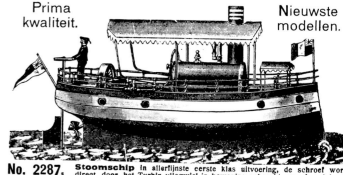

No. 2287. **Stoomschip** in allerfijnste eerste klas uitvoering, de schroef wordt direct door het Turbin vliegwiel in beweging gebracht naar de origineele Amerikaansche stoomturbines. Liggende koperen ketel, fijne afstelkraan, beweegbaar stuurwiel, zekerheidsventiel, stoomfluit, fijn dek. De boot is prachtig gelakkeerd en de blanke deelen zijn hoogfijn vernikkeld en gepolijst. Lang 50 c.M. Prijs **fl. 6.15**

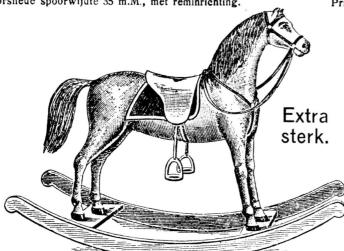

Extra sterk.

No. 2384. **Hobbelpaard,** van sterke en solide afwerking met teugel en stijgbeugels. Fijn geverfd, zithoogte 66 c.M. Lengte romp 45 c.M. Prijs **fl. 3.75**

Nieuw!

No. 4854. **Ezel met berijder,** zeer comisch, met fijnste uurwerk, lang 19 c.M., hoog 15 c.M. Prijs **72 ct.**

No. 3323 **Beer,** met fijnste uurwerk, voorwaarts loopend, natuurlijk gelakkeerd. Grootte 14½×7×4 c.M. Prijs **45 ct.**

No. 3360. **Pop** 24 c.M., hoog, beweegbare armen en beenen, vaste oogen, gekleurd kleed met mantel, stroohoed, golvende haren. Prijs **45 ct.**

No. 3353. **Pop** 40½ c.M. hoog, met dubbel beweegbare armen en beenen en draaibaar hoofd, fijnste slaapoogen, golvende haren, gekleurd gegarneerd stoffenkleed, str.hoed schoenen en kousen. Uitkleedbaar. Prijs **fl. 1.90**

No. 3363. **Pop** 45½ c.M. hoog, met beweegbare armen en beenen en draaibaar hoofd, golvende haren, fijnst zwart stofkleed met kant bezet, slaapoogen, stroohoed, schoenen en kousen. Uitkleedbaar. Prijs **fl. 1.75**

No. 1776. Tafelservies, van fijn porcelein met bloemen versierd, bestaande uit 6 kopjes, 6 schoteltjes, 2 broodbakjes, 1 koffiekan, 1 melkkan, 1 suikerpot. In cartonnendoos verpakt, lang 30 c.M., breed 20½ c.M. Per doos **95 ct.**

No. 4850. **Muziekdoos,** uit fijn gedecoreerd blik. Hoog 11 c.M., dik 8 c.M. Prijs **15 ct.**

ook al was er wel speelgoed - kinderen werden er niet
mee verwend.

dikwijls was daar ook geen
geld voor en dan maakten
ze zelf van alles

met behulp van een
houten garen klosje
punnikten ze een
paarde leidsel

en het bit was een
pakjes drager
van een kleding magazijn of zo..

als het varken geslacht was werd de blaas
opgeblazen en gedroogd en dat was je voetbal.

een paar dropjes in een fles, water er bij
en dan maar schudden tot je dropwater had.
zo'n flesje heette een meestersflesje
men sprak niet van medicijnen maar
van „meestersgoed".
(overgebleven van heelmeester)
zo maakte je limonade ...

tarwe aren fijn-
wrijven, het kaf er
uit wegblazen →
en dan maar kauwen
en zo had je kauwgum

van het ravotten in het
hooi konden sommigen
geen genoeg krijgen

dat was een flink „uitje"
in de vakantietijd:
bij vader op het land
aardappeltjes poffen

66

wat ook een belevenis
was - als je uit school
kwam en je zag de
kastjesvent lopen!

Zo'n man ventte met
garen en band en
prulletjes die hij in
een draagkist
bij zich had

67

ouwe Jaopie kwam a/en toe
van Menheerse af kruien –
    „Garnael, garnael, un cent un kommetje!"

die kwamen er zelfs helemaal
van Brabant met de hondekar
vol potten en pannen

een groot varken los op straat en iemand op een fiets er achter
daar was toen niks geks aan, dat zag je wel vaker,
de beer was gewoon ergens besteld

voor de herberg Mijnheer (een handelsreiziger of rondtrekkende kleermaker) met ingehuurde kruier

72

een beeld van alle dag; de oude mannen
op de kaaje. de kletsmajoors,
de hoekers
je moest als kind altijd oppassen als je
daar langs moest — voor je 't wist had je
een kledder tabakssap tegen je benen...

73

74

de doodbidder.
aan zijn hoge hoed een lange sluier
van zwarte crêpe
die over de arm
afhing

gemeente veldwacht

rijks veldwacht

„ namens de familie wordt u
bekend gemaakt het overlijden
van Jan Pieter enz. enz...
als het prevelement afgelopen was
zei je „ dank je voor
de boodschap. kompliment."

de vuilniswagen

de petroleum kar

wat je toen ter tijd
ook vaak zag
kromgewerkte
mensen

75

alle landbouwgewassen werden met de paardewagen van
het land gehaald.
om veel hooi of koren te
kunnen opladen
gebruikte men
de gek
met de
pongerboom

daar kwamen
altijd van die
snoezige
dwerg muisjes
onder vandaan

in de tijd van het suikerbieten-
rijden werden de zijkanten
van de wagen met „pel tuug"
verhoogd

dat was me een bende in de Pee tied!
de wagens reden af en aan met
suikerbieten en het dorp zat
onder de bagger!

in de winterstraat stond de
drab van stoep tot stoep
en je moest tòch wel eens
bie den Braber were ...

als het pee-tieje klaar was
ging iedereen op de laatste
vrijdag voor de kerst
schrobben!

79

het water haalde men uit de kerkgracht
of uit de pomp op de Heul — waterleiding
was er nog niet.

dat was een heel getob,
soms moest er 's zomers zelfs
een schip met water komen

de dorps omroeper
maakte overal bekend
dat de mensen konden
komen

men was zuinig met het water—
eerst werd de spinazie er in
gewassen,
zand
laten
zakken

en dan
was het
badwater.

iedereen ging
in de teil.
de kleinste
was
„eerste"

en riolering
hadden ze
ook niet

wat ze wèl hadden - iedereen bijna -
een varken!

je kon niet zonder; het was
je spaarpot, het familie-
kapitaal en de tegoedbon
om de komende winter te
overleven.

ieder voorjaar werd
een nieuw biggetje
aangeschaft

bij elk huisje hoorde wel een varkenskot.

in het begin verdwaalde het biggetje er bijna in

maar aan het einde van z'n korte en saaie leven was er maar weinig ruimte over dan woog zo'n varken wel tegen de 500 pond!

bezoek moest altijd het varken bekijken!

achter de ploeg poters lezen. voor het varken!

wat meel, een zootje gekookte poters

er werd best
gezorgd voor
de keu

n aren rapen
chter de snijders

maar in November ging-ie toch voor de bijl!

nadat de slager het varken doodgestoken had werd-ie
onder stro bedolven en dat werd aangestoken om de
haren af te branden.

met dit hebbeding werd het varken afgeschrapt
en met dat haakje werden de hoefjes er af-
getrokken. Op die lekkernij en het half-
verkoolde staartje stonden de
kinderen te wachten

...er hing weer spek aan de zolder!

Soms werd er hals over kop geslacht
als de vlekziekte rondwaarde en het varken er beroerd uitzag.
het vlees werd niet gekeurd of zo – het handigst was dan een stuk aan
een of andere dorps simpele te geven
en die daarna een paar dagen te observeren

en dit was de koe van de
arbeider - ook een
waardevol bezit!
met geitemelk, varkens-
spek en een stukje
eigen-eet
kwam een mens
een heel eind

Van al dat vertrouwde plattelandsleven was
daar in Rotterdam anno 1900 niks te zèn
m'n opa zal er de klederdracht
ook wel gemist hebben.

Zo'n gehaakte muts
droegen de vrouwen
van Flakkee door-
deweeks

's zondags had je de
sjieke dracht: de
kanten keuvel met
gouwe krullen en spellen.
er wordt nogal eens beweerd
dat klederdracht vandaag
de dag niet meer te betalen is.
maar met kostuum en sieraden
die een mensenleven meegingen
was je toch goedkoper uit dan met het stupide volgen van de
mode ↑

89

de vrouwen
droegen geen
mantel maar
een
omslagdoek
↙

de mannen droegen een pak zoals
Dik Trom z'n vader ook had

in 't land op het veld waren ze niks niet —
ze droegen een bruin pilo broek en een buis.

deze man is aan
het koffie koken op
het land —
wat droog stro in
een greppel,
een lucifer ..

— die dingen waren
wel 100 x versteld

er waren er die daarna
een klem in die as zetten :
een haas ging 's nachts
graag in die as zitten !

als ze het warm hadden trokken ze hun bovenbroek uit
liepen na het werk ook gewoon in hun lange
onderbroek naar huis

92

al dat landwerk heeft mijn opa
tot-ie naar Rotterdam ging
ook gedaan

93

„een, twee, geliek !"
en daw had je 70 KG op je nek

95

't is niet zo dat mijn opa
het platteland verliet
omdat het werk 'm te zwaar was —
in Rotterdam begon hij
als stucadoor!

zo'n beetje het zwaarste beroep.

neef Jaap heeft het vak
via z'n vader
van opa geërfd

96

mijn opa kon Goeree Overflakkee niet vergeten
in de avonduren zat-ie deze schilderijtjes te maken ...

ook zijn ouders vergat-ie natuurlijk niet en van
tijd tot tijd schreef hij ze een brief

98

een jaar geleden,
in 1899, is hun
dochter Cornelia
op 33 jarige leeftijd
overleden en
sindsdien heeft
mijn overgrootmoeder
zo verdrietig
gekeken

—

aan de wand
hangt de „ere-
prent" die hun
zoon Leendert
Willem (een broer
van opa) voor zijn
ouders maakte
toen ze 40 jaar getrouwd waren

dat het wat geworden is
tussen Krijna de Bonte
en de avonturier Sacharias
hebben ze de aardappel-
ziekte van 1846 te danken.

de vader van Krijna
moest als zo teken van
armoe de boerderij
verkopen en zo zakte
Krijna van boerendochter
naar een lagere stand…

No. 4

In het jaar een duizend acht honderd zes en vijftig,
den *negen en twintigsten* der maand *Februarij* zijn voor ons ondergeteekende
Pieter Laaijer, Burgemeester
Ambtenaar van den burgerlijken-stand der gemeente D I R K S L A N D, Provincie Zuidholland, in het huis der gemeente, in het openbaar en in tegenwoordigheid der nate-
noemene getuigen, verschenen *Sacharias Poortvliet*
oud *drie en dertig* jaren, van beroep *avonturier*
geboren te *Dirksland* en wonende te *Dirksland*
meer derjarige zoon van *Cornelis Poortvliet en van Eliza-*
beth Groen, beiden overleden.

En *Krijna de Bonte* oud *negentien* jaren, van
beroep *Zonder* geboren te *Dirksland* en wonende te ~~*Dirksland*~~
min derjarige dochter van *Krijn de Bonte en van Cornelia*
Breedmee, beiden overleden,

welke ons verzocht hebben tot de voltrekking van hun voorgenomen huwelijk te willen overgaan
daartoe aan ons ter hand stellende *hunne geboorte acten, de overlijdens ac-*
ten van de ouders, de grootouders van vaderszyde en den
grootvader van moederszyde der bruid, het bewijs dat de
bruidegom aan zyne verpligtingen ten opzigte der Na-
tionale Militie heeft voldaan, eene notariële acte, waar-
by Geertrui Overdijk als grootmoeder van moederszyde
hare volkomen toestemming tot dit huwelijk geeft en den certi-
ficaat waaruit blijkt dat de beide huwelijks afkondigingen
in de gemeente Herkingen op den zeventienden en den vier-
en twintigsten dezer maand zonder stuiting hebben
plaats gehad, terwijl dezelve op die dagen ook in deze ge-
meente ongehinderd zyn afgeloopen.

Dien ten gevolge en nadat de bruidegom en bruid elk afzonderlijk aan ons ambtenaar van den Burgerlijken-stand, op onze daartoe gedane afvraging hadden verklaard, dat zij elkander aannemen tot echtgenoten, en dat zij getrouwelijk alle de pligten zullen vervullen, welke door de wet aan den huwelijken staat verbonden zijn, hebben wij in naam der wet verklaard, dat de personen van

Zacharias Poortvliet en Krijna de Bonte

bovengemeld, door den echt aan elkander zijn verbonden.

Van al hetwelk wij deze akte hebben opgemaakt in tegenwoordigheid van *Leendert Kardux oud een en veertig jaren bouwman, behuwdbroeder van de bruid, Jacob Heijboer oud Zeven en dertig jaren, bouwknecht behuwdbroeder van den bruidegom, Cornelis Koert oud Zes en veertig jaren bouwman en Arij van der Ent oud drie en dertig jaren, bode, bekenden van de comparanten, allen wonende St Dirks-land, die na voorlezing met ons ende comparanten hebben geteekend.*

het kwam vaak voor dat rijke boere-
dochters - die jaar in, jaar uit aan
hun uitzet zaten te werken —
ongehuwd bleven ...

mijn overgrootvader

SACHARIAS POORTVLIET

geboren te Dirksland 8-2-1823
overleden . „ 26-12-1903

Sach.⁼ Poortvliet

de handtekening van
m'n overgrootvader

102

In het jaar een duizend acht honderd drie en twintig, den *Tienden* der maand *Februarij* des *voor*middags ten *Negen* uren, is voor ons Schout en gecommitteerd Ambtenaar tot het werk van den Burgerlijken Staat der Gemeente *Dirksland*, verschenen *Cornelis Voortvliet* oud *vijf en veertig* jaren, van beroep *Arbeider* wonende *alhier* welke ons heeft verklaard, dat *Zijne huisvrouw Elizabeth Groen* op den *Negsten dezer* des *avonds* ten *Elf* uren, bevallen is van een kind van het *man* lijk geslacht, hetwelk hij zegt de voorna*men* te zullen dragen van *Sacharias*

De gemelde verklaring is geschiedt in tegenwoordigheid van *Arend de Bruin Veertig* oud — jaren, van beroep *Arbeider* wonende *alhier* en van *Joost Struberg* oud *zeven en twintig* jaren, van beroep *Veldwagter* wonende *alhier*.

En hebben de comparanten deze Akte, na voorlezing, met ons geteekend.

De Schout en gecommitteerd Ambtenaar voornoemd,

hij was de 5e Sacharias uit het huwelijk van Cornelis en Elisabeth – de voorgaande 4 Sacharias/jes zijn nog geen jaar oud in de wieg gestorven.

Nº 50 Akte van OVERLIJDEN van

Sacharias Poortvliet

In het jaar een duizend negen honderd drie, den *zeven twintigsten* der maand *December* zijn voor ons ondergeteekende, Ambtenaar van den Burgerlijken-Stand der gemeente **Dirksland**, verschenen: *Leunis van der Slaijs* oud *vijf en zestig* jaren, van beroep *gemeente bode* en *Hendrik Matthijs Noordzand* oud *zes en dertig* jaren, van beroep *Timmerman* wonende beiden in deze gemeente, die ons hebben verklaard, dat op den *zeven twintigsten* der maand *December* duizend negen honderd drie, des *voormiddags* te *drie* uren, in het huis staande in deze gemeente, numero *driehonderd drie en twintig* **is overleden** *Sacharias Poortvliet* van beroep *landbouwer* geboren te *Dirksland* en wonende te *Dirksland* in den ouderdom van *tachtig jaren* geboren in het jaar *achtien honderd drie en tachtig*, zoon van *Cornelis Poortvliet en van Elizabeth Groen, beiden overleden, echtgenoot van Trijna de Bonte, zonder beroep, wonende te Dirksland*

En hebben wij hiervan deze akte opgemaakt, die na voorlezing is onderteekend door ons en de declaranten. 103

1823

een vroedvrouw rekende
toen ƒ 2.50 voor
verleende verlos-
kundige hulp

een dokters visite in het dorp
kostte 30 cents,
een buitenvisite in de polder 1 gulden.

zes jaar geleden heeft
iemand deze velocipede
uitgevonden
maar op de slechte
wegen rond Dirksland
heb je daar
niks aan...

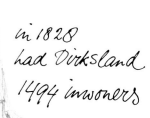

er waren al
zes baby's
gestorven
in dat gezin ..

Sakriesje háálde het —
maar hij is altijd een
klein opdondertje
gebleven.
hij heeft z'n hele
leven minder dan
100 pond gewogen
en liep op
kinderklompen

in 1828
had Dirksland
1494 inwoners

Z, z, z, Z, z, Z

ZACHARIAS *ziet de* ZEE.

———— ✳ ————

Wel verbazend, welk een plas !
'k Huiver op 't gezigt der baren —
En de mensch durft haar bevaren
Even of 't een meertje was !

deze schoolboekjes-
Zacharias mag er dan
zo bij gelopen
hebben —
mijn overgrootvader
en zijn vrienden
liepen er sjofeler
bij — er was
toen veel armoede
in Dirksland,

een nieuwe
rok was

niet te betalen,

waar die jongens het over hebben (1839)?
over de zojuist verschenen „Camera Obscura"?
ik denk 't niet
het zal wel over de opening van de eerste
Hollandsche Yzeren Spoorweg, 20 Sept. gaan !

men nam ieder jaar een
nieuwe baan stof
zo groot als de
schorte opening
en draaide
de rok een
eindje door...

zo hadden we een
huisvriend met
een houten poot
en die droeg
aan z'n ene
voet eerst
de rechterschoen
op
en daarna
de linker

gedroogde koeie poep werd
gebruikt als brandstof

en de lamp
hing nogal
eens
voorover
voor de
laatste
druppel
olie

ALGEMEEN VERSLAG

van de Gemeente *Dirksland* van het jaar **1850**.

1°. GEMEENTE-ADMINISTRATIE.

a. Welke zijn de voornaamste middelen van bestaan der Ingezetenen?

Landbouw

b. Hebben dezelve over het algemeen gunstige uitkomsten opgeleverd, of zijn daarin tegenspoeden ondervonden?

De uitkomsten zijn buitengewoon ongunstig geweest, zoo door misgewas als door het uitvriezen van te velde staande vruchten.

c. Zijn de Ingezetenen rustig en tevreden, zoo niet, welke bijzondere bezwaren zijn er aanwezig en welke middelen bestaan er om daarin te gemoet te komen?

Zij zijn steeds rustig en tevreden.

11°. BIJZONDERHEDEN.

Onder de vorige rubrieken niet begrepen, en *Algemeene opmerkingen*.

Steeds veel armoede.

Aldus opgemaakt te Dirksland den 22 January 1850

Burgemeester en Assessoren,

(get.) P. Zaayer

Ter ordonnantie van dezelve,

(get.) Jacob de Graaff Hz. L.S.

106

e. Hoedanig is de toestand der Wegen en der daarin gelegene Bruggen en Heulen?

De wegen zijn over het algemeen van Zwaere klei en daar door des winters Slecht, de Bruggen en Heulen zijn in goede orde.

f. Zijn die, welke tot communicatie met naburige Gemeenten dienen, ten allen tijde in eenen bruikbaren staat?

Gedurende den Winter bijna Onbruikbaar

107

Sacharias
liep héél wat af...

mijn overgrootvader was van beroep avonturier —
hij kocht op voorhand de tienden (landbouwgewassen waarmee de pacht werd betaald) op.
daarnaast had hij een zakkenverhuur, deed wat aan akkerbouw en had ook nog wat beestjes op stal.

omdat-ie ook zo'n beetje in vee handelde sjouwde hij het halve eiland af naar koopjes.
vergezeld van twee zoons - Cornelis (met baard) die slager was en aan de andere kant Dirk
gaat Sacharias hier op pad.

als je daar liep hoorde je behalve je eigen voetstappen helemaal niets !
en als het donker was zag je geen hand voor ogen.

112

bij het maken van afspraken voor visites werd dus op de stand van de maan gelet.

van hier naar School is een knap eind lopen ..

„ Moeder, de nieuwe klompen doen nog stééds zeer ! "
en dan werd je weer naar buiten gebonjourd
met de hartelijke raad : „ veul speulen "

daar sta je eigenlijk nooit bij stil,
maar hoe lang deed een landarbeider met z'n klompen?
4 à 5 weken ! dan waren ze op.

al dat geloop
werd een stuk minder
toen later de fiets kwam

niet alleen ben je in een wip waar je wezen wil—
maar je kunt en passant
ook zo lekker overal
naar binnen gluren!

en dat doen
ze graag

en vanachter de gordijntjes wordt weer gekeken naar wat die twee daar buiten toch te bekokstoven hebben..

mijn overgrootouders
woonden op de
Straetdiek
(dirksland 197)

het huisje van
Krijna en
Sacharias

het snoepwinkeltje
van Sannetje Wittekoek
waar je „een cent van 't blad"
kon kopen

smids sloop

de winkel van
Brammetje
Dunweg
hij verkocht
petrolielampen
e.d.

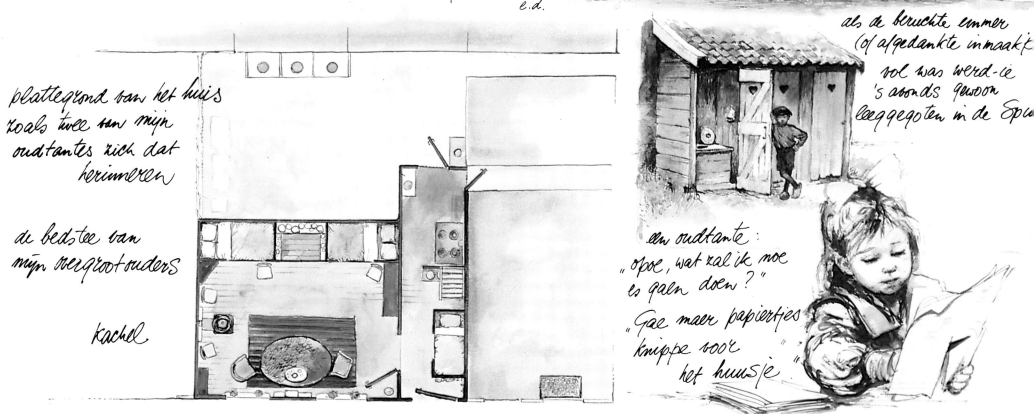

plattegrond van het huis
zoals twee van mijn
oudtantes zich dat
herinneren

de bedstee van
mijn overgrootouders

kachel

als de beruchte emmer
(of afgedankte inmaakt
vol was werd-ie
's avonds gewoon
leeggegoten in de Sp..

een oudtante:
„opoe, wat zal ik noe
es gaen doen?"
„Gae maer papiertjes
knippe voor
het huusje"

118

in de spinde (een soort kelderkast) was
het zgn. steengoed ondergebracht.
via een paar trap treden kwam je
in de keldertjes onder de bedsteden

in de spinde stond ook de kruik
Sakries nam altijd voor het slapen een borrel,
hij bleef daarbij in de spinde staan

steengoed

daar werd de wintervoorraad
bewaard. de vaak muffe lucht
in de bedstee kwam hoofdzakelijk
van de aardappelen...

na het overlijden van haar moeder (33)
logeerde oud-tante Renie nogal eens
bij opa en opoe.

vanuit de bedstee heeft
ze 't allemaal kunnen
bekijken : Sakries trok
'm overkleren en
sokken uit, nam
de po uit de
bedstee,
zette die
op de grond
en kroop de koets in

dan zette mijn overgrootmoeder
de keuvel (die ze alle dag droeg) af
en drapeerde die
op een vaas.
trok haar zwarte jurk
en kousen uit
en een nacht jak
aan -

- blies de petrolie lamp uit en stak
het nacht lampje op de schoorsteen mantel
aan.

de mensen gingen een uur of negen
naar bed en stonden half vijf op.

120

het KAMMENET, de trots van mijn
overgrootmoeder, waarin ze haar
kenvels en goud, het linnengoed
en waardepapieren bewaarde

kinderbedstee →

in die tijd sliepen
kinderen vaak met z'n
drieën of vieren in een bedstee.
dan hoorde je 's nachts opeens:
1, 2, 3, geliek!"
en dan draaide iedereen zich tegelijk om

mijn opa had zijn bedstee in de gang en hij had er
aardigheid in om met een zwaai vanuit de huiskamer
in z'n bed te belanden.
maar een keer toen hij laat thuiskwam was-ie vergeten
dat er een oude tante te logeren was en in zijn bed sliep...

Een van de eerste dingen 's morgens
was koffie zetten.

daarvoor gebruikte mijn
overgrootmoeder water
uit de TRAS, waar het
regenwater in verzameld werd

voor schrobben en zo nam
je water uit de wel -
dat was grondwater.

één emmer traswater →
om uit te drinken,
de andere bevatte
welwater om je
handen te wassen

de trap naar zolder waar
de jongens sliepen

als de koffie op het lichtje stond
ging ze de pispotten legen.

dan spelde ze zich een doek voor
en ging brood klaarmaken
eerst werd de boter er
opgesmeerd en dan werd er
een boterham afgesneden, enz.

122

Pfalm 68.

Pfalm LXVIII.

10 Geloof'd zij God met diepst ontzag! Hij
overlaadt ons / dag aan dag / Met zijne gunst-
bewijzen; Die God is onze zaligheid. Wie zou
die hoogste Majesteit Dan niet met eerbied
prijzen? Die God is ons een God van heil;
Hij schenkt / uit goedheid / zonder peil/ Ons

't eeuwig zalig leven: Hij kan / en wil / en zal
in nood / Zelfs bij het naadzen van den dood /
Volkomen uitkomst geeven.

op zondagavonden zette mijn overgrootvader z'n pet af en zei „ Noe gaen me zienge". (soort lofzang van Zacharias)

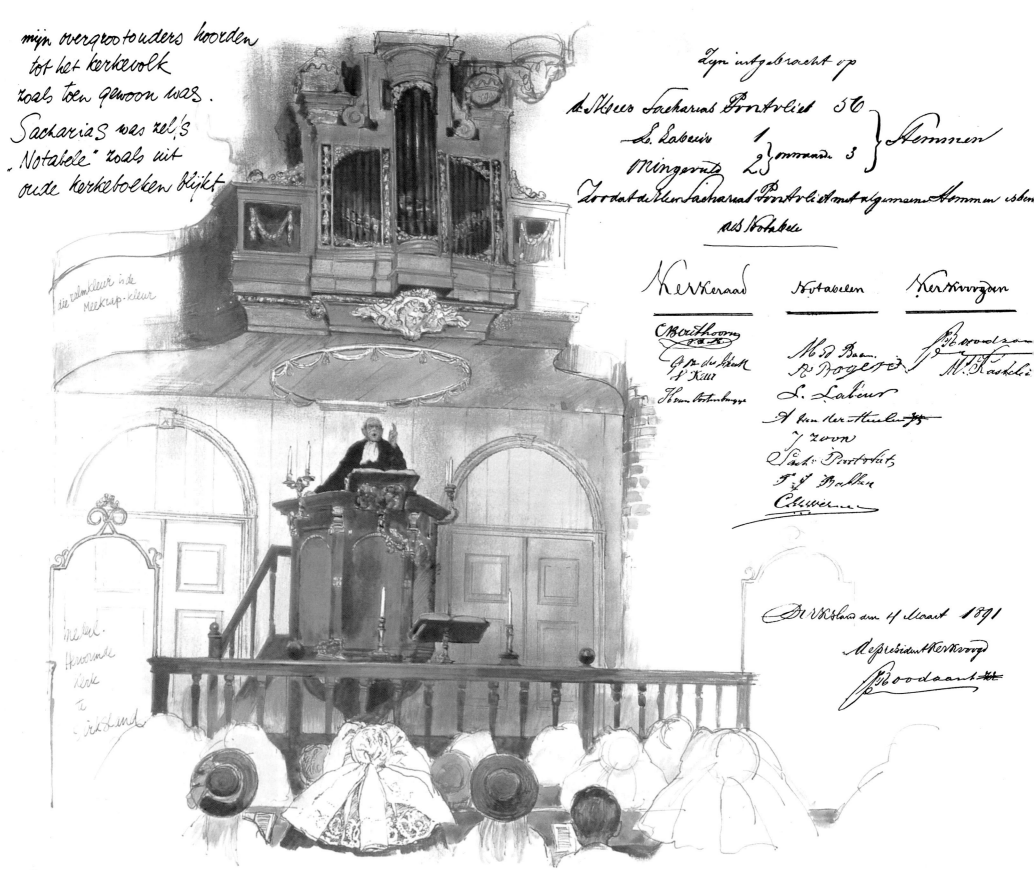

mijn overgrootouders hoorden
tot het kerkevolk
zoals toen gewoon was.
Sacharias was zelfs
"Notabele" zoals uit
oude kerkeboeken blijkt

die zolmkleur is de
Meekrap-kleur

Model.
Hervormde
Kerk
te
Dirksland

Zijn uitgebracht op

de Heer Sacharias Prontvliet   56
L. Labeur   1
Mingervati   2   } Stemmen

Zoodat de Heer Sacharias Prontvliet met algemeene stemmen is ben...
als Notabele

Kerkeraad   Notabelen   Kerkvoogden

De Kerkraad den 4 Maart 1891

De President Kerkvoogd

124

's Zondags in de kerk gezeten,
kon mijn Opa deze doopvont
zien dat onderaan de preekstoel zat.

Zowel mijn Opa Marinus als z'n vader
Zacharias zijn uit dit doopvont gedoopt
Den 2de Maart 1823.

Doopnaam.   Geboortedag ~ Ouders ~ Getuigen.

Zacharias. . . . Geb. den 8 February
        V. Cornelis Pouwelick
        M. Elisabeth Groen
        G. De Ouders.

de boerderij
van Oom Dirk

toen ikzelf er (zo'n kleine 50 jaar later) mocht logeren
was er eigenlijk nauwelijks iets veranderd. misschien was de Vroonweg inmiddels verhard

128

Goedereede

Goddank vind je op Flakkee nog steeds die weldadige, Soete suikerbollen bakker-gemoedelijkheid -
ik mag zulke plekjes graag bekijken !!

ik mag ook graag naar Flakkeejenaars
kijken _ ze lopen altijd wel wat te keutelen
en waar ik heel erg van hou _
die smakelijke Flakkeese taal!

ach, mijn opa had er helemaal niet moeten weggaan denk ik dan als ik zulke Ruisdael -achtige verten zie ...

---

precies op dit punt aangekomen, waar ik met de herinneringen van mijn oudtantes (tante Dikje op blz. 88)
en de daarbij horende bruinige kiekjes probeerde uit te vissen hoe het er in opa's jeugd uitzag,
viel mij een schitterend geschenk zomaar in de schoot :   de stamboom !

met wat er uit oude kerkeboeken en gemeente - en rijks archieven boven water te krijgen is   ga ik verder
op zoek naar m'n grootvaders.
ik zal 't zo doen : mijn echte opa zal ik grootvader[1] noemen, zijn vader grootvader[2] enz.
want dat gedoe met . bet, bet-over .... vind ik niks.

mijn opa 3) CORNELIS ADRIAENSZ POORTVLIET
belijdenis Colijnsplaat 10-4-1610
overlijdt ± 18-8-1649
trouwt met (1) vermoedelijk ene CORNELIA

1 JAN CORNELIS
2 Adriaen
3 Neelken Cornelis
4 Stijnken Cornelis
5 verm. Marijnis
trouwt (2) Magdalena van Gelder † 18-8-1649

mijn opa 8) JAN CORNELIS (VAN) POORTVLIET
† Colijnsplaat 7-12-1650
trouwt ca. 1629 met
Cornelia (Neelken) Adriaans lidmaat Colijnsplaat 1634

1 Adriaan - gedoopt Colijnsplaat 13-10-1630
2 Cornelis - gedoopt Colijnsplaat 25-4-1632
3 Cornelis - gedoopt Colijnsplaat 2-8-1634
4 Cornelis - gedoopt Colijnsplaat 12-10-1636
5 Lijsbeth Jans - doop niet gevonden
6 Dirck - gedoopt Colijnsplaat 27-1-1639
7 Jasper - gedoopt Colijnsplaat 14-7-1641
8 Jacob - gedoopt Colijnsplaat 1-5-1644
9 Cornelia - gedoopt Colijnsplaat 15-9-1647
10 JAN - gedoopt Colijnsplaat 19-6-1650

opa 7) JAN JANSZ POORTVLIET, ged. Colijnsplaat 19-6-1650
lidmaat Colijnsplaat 1672 adres Oostagterstraat † na 4-6-1724
trouwt ca. 1670 Pieternella Simons Belleman, gedoopt Colijnsplaat 13-10-1647

		GETUIGEN BIJ DE DOOP
1 Jan - gedoopt Colijnsplaat 28-6-1671:		Dirk Poortvliet
		Adriaan Baartholf
		Jan Simons
		Cornelia Adriaans
2 Simon - gedoopt Colijnsplaat 4-12-1672:		Wouter Verheyde
		Jan Cornelisz
		Catelijntje Cents
3 Marij - gedoopt Colijnsplaat 15-4-1675:		Anthony Rabou
		Reinier Reiniersz. de Jonge
		Lijsbeth Simons
4 Cornelis - gedoopt Colijnsplaat 20-6-1677:		Wouter Verheys
		Paulijntje Jacobs
5 Pieter - gedoopt Colijnsplaat 28-4-1680:		Adriaan Imanse
		Simon Belleman
		Janneke Segers
6 Adriaan - gedoopt Colijnsplaat 26-10-1681:		Adriaan Barfdolf
		Adriana Simons Belleman
		Dirck Jansz Poortvliet
7 SIMON - gedoopt Colijnsplaat 16-1-1684:		Barbel Jansz Belleman
		Gillis Adriaensz Bardolf
		Cornelis Geertse
8 Cornelis - gedoopt Colijnsplaat 31-3-1686:		Lieven Adriaan Keuvelaer
		Dirck Janse van Poortvliet
		Gillis Cornelis Dane
9 Pieter - gedoopt Colijnsplaat 13-2-1689:		Jan Dirkse Poorvliet
		Maatje Bierstecker
		Jan Dijk
10 Jacob - gedoopt Colijnsplaat 18-3-1691:		Adriaan Poortvliet
		Janneken Frans

opa 6) SIMON JANSZE POORTVLIET - gedoopt Colijnsplaat 16-1-1684
† Dirksland 31-10-1730
trouwt (1) ca. 1704 Pieternella Pietersdr. van der Berge

1 Jan - gedoopt Colijnsplaat 31-5-1705:		Machiel Isaks
		Lisebet Simons
		Jan Poortvliet
2 Pieter - gedoopt Colijnsplaat 22-8-1706:		Gerard van den Berge
		Cornelia van den Berge
		Jan Poortvliet
3 Jannes - gedoopt Colijnsplaat 16-10-1707:		Jan Jans Poortvliet
		Clara Geelhoed
		Joos Carre
4 CORNELIS - geboren ca. 1709:		

trouwt (2) Dirksland 7-10-1714 Adriana Fanius van ES

5 Pieternella - gedoopt Dirksland 17-12-1716:		Johan Jansze van der Ham
		Kornelia van Loo
6 Lena - gedoopt Dirksland 10-9-1719:		Paulus Jansz Lindt
		Marij Jansz van den Berge
7 Lena - gedoopt Dirksland 22-12-1722:		Arend Jansz Veugelaar
		Dirkje Nokters
8 Simon - gedoopt Dirksland 9-12-1724:		Paulus Jansz Smit
		Maria Jansz
9 doodgeboren kind, begraven Dirksland 26-4-1726:		

trouwt (3) Dirksland 29-7-1728 Lijsbeth Paulusse Langstraat, † Dirksland 13-3-1731

10 Hendrina - gedoopt Dirksland 30-7-1729:   Leendert Weesterbeek
                                                  Pleuntje van de Langstraat

11 Simon - gedoopt Dirksland 6-2-1731:   Jan Simonsz Poortvliet
                                                  Cornelia Arents van Loo

opa 5) CORNELIS SYMONSZ POORTVLIET - geboren ca. 1709. † Dirksland 23-3-1772
    trouwt (1) Dirksland 24-2-1736, * 18-3-1736 Maatje Zachariasdr. van der Groeff
  † Dirksland 24-11-1749

1 Pieternel - gedoopt Dirksland 20-1-1737, † Dirksland 15-9-1741:   Pieternella Arents

2 ZACHARIAS - gedoopt Dirksland 19-10-1738:   Jacob van der Groelf
                                                                Seytje Jans Gestel

3 Neeltje - gedoopt Dirksland 29-10-1740, † Dirksland 10-11-1772:   Seytje Jans van Gestel

4 Pieternel - gedoopt Dirksland 5-10-1743:   Leendert Prono
                                                      Jannetje Ariaens

5 Arent - gedoopt Dirksland 4-9-1745:   Jacob van der Groeff
  trouwt (2) Dirksland 5-1-1750 * 22-2-1750 Burgje Johannis van Laa,   Seytje Jans Gestel
  gedoopt Dirksland 19-10-1705, † Dirksland 17-1-1758

6 Cornelia - gedoopt Dirksland 12-9-1751, † Dirksland 27-10-1756:   Grietje van Leerdam

7 Johannes - gedoopt Dirksland 14-10-1753:   Jannetje Aris Filiris

8 Cornelia - gedoopt Dirksland 4-1-1756, † Dirksland 11-6-1757:   Jannetje Ariaans Filiris

9 Overlijden van een kind (?)
  trouwt (3) Dirksland 8-4-1758 Maria van der Geevel geboren ca. 1703

10 Lena - gedoopt Dirksland 10-6-1759, † Dirksland 16-2-1764:   de vader

11 Clijntje - gedoopt Dirksland 29-3-1761, , † Dirksland 14-6-1764:   Clijntje Jans Lorij

12 Cornelia - gedoopt Dirksland 27-3-1763:   Jannetje Ariaan Filiris

13 Lena - gedoopt Dirksland 14-4-1765:   Jannetje Pieters van der Bergh

14 Lena - gedoopt Dirksland 30-11-1766:   Jannetje Pieters van der Bergh

opa 4) ZACHARIAS POORTVLIET - gedoopt Dirksland 19-10-1738,
  † Dirksland 28-11-1807
    trouwt Dirksland 20-1-1769, * 19-2-1769 Geertje Cornelis Kluyt -
    geboren Dirksland 5-11-1747, † Dirksland 2-6-1810

1 Maatje - gedoopt Dirksland 30-12-1770 - † Dirksland 14-7-1773:   Pieternella Poortvliet

2 Antje - gedoopt Dirksland 10-5-1772, † Dirksland 15-2-1773:   Anna Willems Swanenburg

3 Frederik - gedoopt Dirksland 19-2-1775, † Dirksland 10-2-1777:   Johanna Reyniers v. Zwanenburg

4 Cornelis - gedoopt Dirksland 3-3-1776:   Maria van der Geevel

5 Frederik - gedoopt Dirksland 26-10-1777, † Dirksland 8-1-1785:   Johan Zwanenburg

6 Cornelis - gedoopt Dirksland 25-10-1778, † Dirksland 11-4-1783:   Pieternella Poortvliet

7 Cornelis - gedoopt Dirksland 27-7-1783:   Maaytje van der Seevel

8 Cornelia - gedoopt Dirksland 27-7-1783, † Dirksland 4-8-1783:   Pieternella Poortvliet

9 Frederik - gedoopt Dirksland 8-5-1785, † Dirksland 12-3-1801:   Elisabeth van der Made

10 CORNELIS - gedoopt Dirksland 22-4-1787:   Pieternel Poortvliet

opa 3) CORNELIS POORTVLIET - geboren Dirksland 22-4-1787, † Dirksland 31-1-1855
    trouwt Dirksland 13-4-1809 Elisabeth de Groene - gedoopt Oud Beijerland 6-6-1786,
    † Dirksland 30-9-1851

1 Zacharias - geboren Dirksland 28-11//10-12-1809, † Dirksland 2-8-1810

2 Zacharias - geboren Dirksland 7//14-4-1811: Petronella Opstal, † Dirksland 30-6-1811

3 Sacharias - geboren Dirksland 9//27-8-1812: Jannetje Hartman, † Dirksland 27-8-1812

4 Geertje - geboren Dirksland 30-8//16-9-1813, † Dirksland 16-9-1813

5 Frederik - geboren Dirksland 22-7-1814, † Dirksland 23-7-1814

6 Maatje - geboren Dirksland ca. 1815, † Melissant 13-9-1834

7 Sacharias - geboren Dirksland 19-2-1817, † Dirksland 12-7-1817

8 Jannetje - geboren Dirksland 14-11-1818

9 Geertje - geboren Dirksland 13-2-1820

10 SACHARIAS - geboren Dirksland 8-2-1823

11 Gerrit - geboren Dirksland 23-10-1825, † Dirksland 5-2-1855

opa 2) SACHARIAS POORTVLIET - geboren Dirksland 8-2-1823, † Dirksland 26-12-1903
    trouwt Dirksland 29-2-1856 Krijna de Bonte - geboren Dirksland 26-6-1836,
    † Dirksland . .-8-1914

1 Elisabeth - geboren Dirksland 3-1-1857

2 Krijn - geboren Dirksland 16-9-1858, † Dirksland 5-10-1859

3 Cornelis - geboren Dirksland 14-7-1860

4 Krijn - geboren Dirksland 3-12-1862

5 Jannetje - geboren Dirksland 21-2-1865

6 Cornelia - geboren Dirksland 1-10-1867

7 Maarten - geboren Dirksland 20-7-1870

8 Gerrit - geboren Dirksland 1-2-1873

9 Leendert Willem - geboren Dirksland 4-9-1875

10 MARINUS - geboren Dirksland 1-4-1878

11 Dirk - geboren Dirksland 24-8-1880

mijn opa MARINUS POORTVLIET - geboren Dirksland 1-4-1878, † 28-7-1938
    trouwt Rotterdam 2-10-1901 Rookje Spierdijk Ritmeester - geboren 6-8-1877

1 Jacob Spierdijk, geboren Rotterdam 6-2-1904

2 ZACHARIAS, geboren Rotterdam 26-3-1905

3 Cornelis, geboren Rotterdam 9-1-1910

4 Jacoba, geboren Rotterdam 14-7-1911

5 Leendert Willem, geboren Rotterdam 7-6-1913

6 Marinus, geboren Rotterdam 2-7-1917

7 Catharina, geboren Rotterdam

mijn vader ZACHARIAS POORTVLIET, geboren Rotterdam 26-3-1905, † 4-3-1973
    trouwt Rotterdam 2-7-1930 Cornelia Hermina de Boer, geboren 19-6-1911

1 MARINUS Harm - geboren Schiedam 7-8-1932

2 Harm - geboren Schiedam 29-8-1935, † 14-3-1936

3 Harm - geboren Schiedam 13-2-1937

4 Karel - geboren Schiedam 29-5-1945

5 Hans - geboren Schiedam 13-6-1947

MARINUS HARM POORTVLIET - geboren Schiedam 7-8-1932 † 15-9-1995
    trouwt Rotterdam 23-5-1956 Cornelia Bouman – geboren Pernis 15-2-1933

1   Harm Marien – geboren Rotterdam 10-3-1957
    trouwt Baarn 8-9-78 Wiepkjen Wagenaar – geboren 13-9-1957
    1 Annemarijn – geboren Soest 1-9-1986
    2 Marjolein 23-1-1989
    3 Jasper Marien 15-10-1991

2   Ronald – geboren Schiedam 7-11-1958
    trouwt Soest 23-12-1983 Irene Louise Slingerland – geboren 4-11-1960
    1 Susanne Louise – geboren Soest 30-5-1983
    2 Charlie-Robinson – geboren 21-5-1986
    3 Valerie – geboren 22-8-1990

op 27 februari 1795 kijkt-ie zin ogen uit! (precies zo als ik in 1940)

221 man Franse bezettingstroepen arriveren in Dirksland om
daar ingekwartierd te worden

maar om een of andere reden trekken ze
door naar Goedereede

(Dirksland heeft dan 1151 inwoners)

z'n eerste levensjaren gaat
Cornelis als meisje gekleed
dat was zo de gewoonte

...t gedoe van die verrekte Fransen
...rd natuurlijk uitentreuren
doorgenomen door de hoekers →
die hadden stof genoeg:

...afschaffing van de Pijnbank
in 1798

...grote brand in
Sommelsdijk 1799,

...het nieuwe orgel dat
...Dirklandse kerk in
...804 rijk werd,

Juni 1806
officiële intocht
van
Napoleon
in den
Haag

je moest toen
al betalen
voor het
houden
van een
hond

van iedere jagthond, drie guldens.
van iedere Bul, werfhond of huishond, dertig stuivers.

Gedaan in den Hage, onder het groot Zegel hier aan doen
hangen, den negensen October, in het jaar onzes Heeren en
Zaligmakers, duizend agt honderd en vier.

G.B. Emants

van de 10 kinderen is Cornelis de enig overgeblevene als hij in november 1807
naast moeder achter de baar
van z'n vader loopt
Cornelis is dan
20 jaar oud.

hij bleef niet avond aan avond bij z'n moeder thuis zitten —
hij kreeg kennis aan Elisabeth de Groene
en ze konden het zó goed vinden
dat ze haastig in het
huwelijk traden

Heeden den 23e van Grasmaand 1809
Zijn voor ons Schout en Scheepenen van
na dat hunne Gewone Huwelijks Proclama
tien onverhindert waaren gegaan in den
Huwelijken staat bevestigt. Cornelis Poort
vliet J: M: Geb: en woonende alhier en
Elijsabeth de Groene J D: Geb: te Oud Beij
erland en woonende onder deeze Jurisdictie

Doopdag.

Den 10 v. Wintermaand... Zacharias... Geboren Den 28 November
v. Cornelis Poortvliet
M. Elisabeth Groen.

hun eerste kindje wordt maar 8 maanden oud.

Zacharias... Geboren Den 7 April 1811
V. Cornelis Poortvliet
M. Elisabeth Groen
Doopg: Pieternella van Opstal.

als het
kind 2½ maand is overlijdt het...

ook het derde en vierde Sachariasje
sterven in de wieg...
die mensen hebben samen
heel wat af gehuild.

en in de doodse stilte van die wijde
polders heeft zo'n jonge dagloner
heel wat te piekeren.

Cornelis is hier bezig met Suikerbieten
die sinds kort op bevel van Napoleon
verbouwd moeten worden.

Nederland is bij Frankrijk ingelijfd
mijn opa[3] is dus geen dagloner
maar een Journalier !

DEPARTEMENT DES BOUCHES DE LA MEUSE.

ARRONDISSEMENT DE Brielle

COMMUNE De Dirksland.

N. d'ordre de chaque commune.	NOMS.	PRÉNOMS.	Date de la Naissance.	Indication s'ils sont			Nombre		Profession.
				Célibataires	Veufs.	Mariés.	d'Enfans.	de vieux parens à leur charge.	
175	Poortvliet	Cornelis	16 avr: 1767	.	.	—	.	...	Journalier

CONTRIBUTION
DES PORTES ET FENÊTRES DE 1812

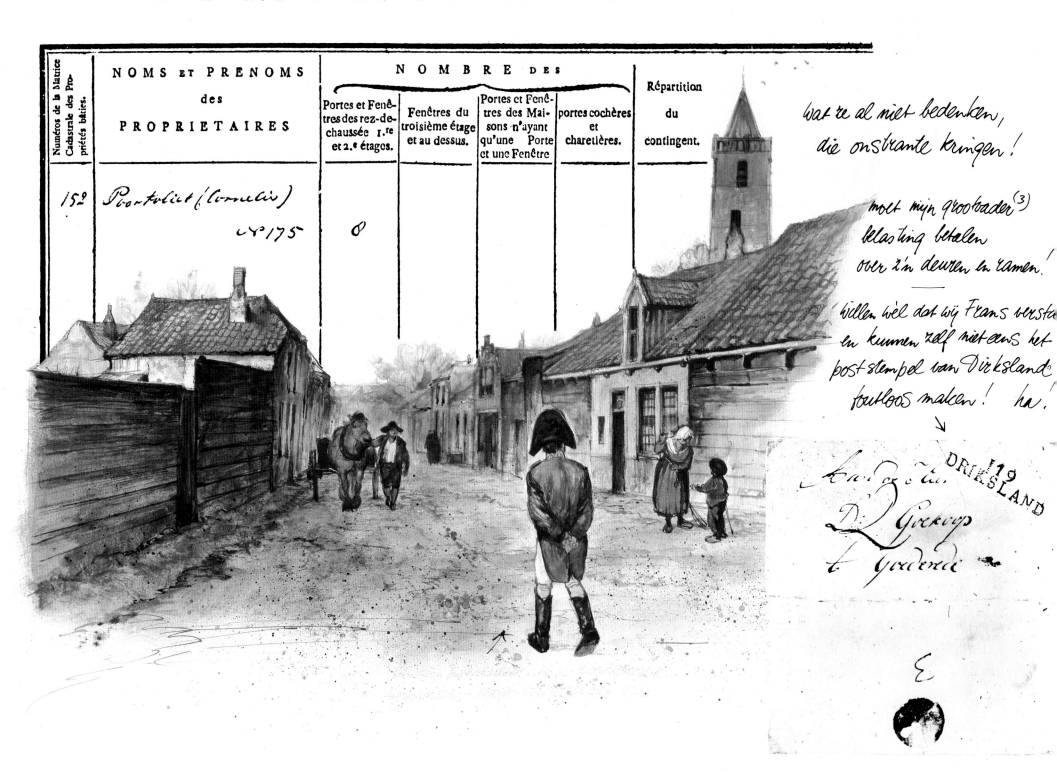

Numéros de la Matrice Cadastrale des Propriétés bâties.	NOMS ET PRENOMS des PROPRIETAIRES	NOMBRE DES				Répartition du contingent.
		Portes et Fenêtres des rez-de-chaussée 1.re et 2.e étages.	Fenêtres du troisième étage et au dessus.	Portes et Fenêtres des Maisons n'ayant qu'une Porte et une Fenêtre	portes cochères et charetières.	
152	Poortvliet (Cornelis) n° 175	8				

*Wat 're al niet bedenken,
die onbrante kringen !*

*moet mijn grootvader[3]
belasting betalen
over z'n deuren en ramen !*

*willen wèl dat wij Frans verstaan
en kunnen zelf niet eens het
post stempel van Dirksland
foutloos maken ! ha !*

DIRKSLAND

140

8 deuren en ramen hadden ze.

géén kippegaas - dat kwam pas in 1893
géén petroleumlamp want die
verscheen pas in 1870 ..

.. daar zaten ze
niet zo mee, zelfs
niet met die Fransen.
maar dat geen van hun kinderen in leven
kon blijven. daar zaten ze mee —

meestersgoed, kwakzalver rommel en ezelinne melk veranderden daar niets aan

ook niet het
kruiselings neer-
leggen van de
kousen
als ze
naar bed gingen

1815   SLAG BIJ WATERLOO

èn : Maatje wordt geboren en
Goddank blijft ze in leven !

maar oud is ze niet geworden -

19 jaar ..

de geneeskunst in die dagen stelde niet
veel voor . als er besmettelijke ziekten
rondwaarden sprenkelde men azijn voor
het bed en om besmetting te voorkomen
rookte de dokter een zware pijp.

een kind met een "zwakke
borst" kreeg de hond
mee in bed zodat die
de kwaal kon
overnemen

No: 1816.

Op den 7den Juny, zyn, op Belydenis des Geloofs
tot Ledematen aangenomen:

— 1. Jacobus Gardenier...... }
— 2. Johanna van de Gevel } E.L.
— 3. Jan Manenberg......
— 4. Pieternella Kisser } E.L.
— 5. Cornelis Prooswliet

uit het
kerkeboek
van
Dirksland

1821 Napoleon sterft op S. Helena

142

nooit gedacht dat er maar
twee jaar zaten tussen
het heengaan van
Napoleon en de
geboorte van mijn
overgrootvader
(1823)

...die verschrikkelijk strenge winter van 1844 !!
de tras bevroren..
met een testje vuur de ramen ontdooien...

143

en daarna nog eens die slag
met de aardappelziekte waardoor
Goeree-Overflakkee in de armoe zakte:

Steeds veel armoede.

30 September 1851 overlijdt
Elizabeth Groen
en wéér loopt Cornelis
de vertrouwde gang
naar het kerkhof...

op 1 februari 1855 vermeldt de aanzegger dat ook Cornelis uit de tijd is.

No. 47 Akte van Overlijden van *Elizabeth Groen*   21 Feb 13

In het jaar een duizend acht honderd een en vijftig,
den *Dertigsten* der maand *September* zijn voor ons ondergeteekende
Pieter Laaijer Burgemeester
Ambtenaar van den burgerlijken-stand der gemeente D I R K S L A N D, Provincie Zuidholland verschenen: *Johannes Rooizand* oud *Negen en Veertig*
jaren, van beroep *timmerman, bekende* van den overledenen
en *Jacobus van den Hoek* oud *achten Veertig* jaren, van
beroep *Schoenmaker, bekende* van den overledenen, wonende beide in deze
gemeente, welke ons hebben verklaard, dat op den *Dertigsten* der maand
September duizend acht honderd een en vijftig, des *morgens* ten *acht* ure, in
het huis staande in deze gemeente, numero *Honderd Zeven en negentig*
is overleden *Elizabeth Groen* van beroep *zonder* geboren
te *Oud Beijerland* wonende te *Dirksland*
in den ouderdom van *drie en Zestig jaren* echtgenoot van
Cornelis Poortvliet avonturier wonende te *Dirksland, dochter van Gerrit Groen en van Jannetje Feeuwkes beide overleden*

En hebben wij hiervan deze akte opgemaakt, welke, na voorlezing, is onderteekend door ons
en de declaranten

P. Laaijer   Joh. Rooizand
                    J.v.d. Hoek

144

No. 5   Akte van Overlijden van *Cornelis Poortvliet*

In het jaar een duizend acht honderd vijf en vijftig,

den *eersten* der maand *february* zijn voor ons ondergeteekende

Pieter Laaijer Burgemeester

Ambtenaar van den burgerlijken-stand der gemeente DIRKSLAND, Provincie Zuidholland verschenen: *Cornelis Soldaat* oud *negenenveertig* jaren, van beroep *avonturier, gebuur* van de overledene

en *Hendrik van Breda* oud *vijfentwintig* jaren, van beroep *avonturier, gebuur* van de overledene, wonende beide in deze gemeente, welke ons hebben verklaard, dat op den *eenendertigsten* der maand *January* duizend acht honderd vijf en vijftig, des *middags* ten *twee* ure, in het huis staande in deze gemeente, numero *honderd zevennegentig,* is overleden *Cornelis Poortvliet* van beroep *avonturier* geboren te *Dirksland* wonende te *Dirksland* in den ouderdom van *zevenenzestig jaren, weduwenaar van Elisabeth Groen, zoon van Zacharias Poortvliet en van Geertje Kluit, beiden overleden,*

En hebben wij hiervan deze akte opgemaakt, welke, na voorlezing, is onderteekend door ons *en de declaranten,*

P. Laaijer   *C. Soldaat*
                      H. van Breda

C. Poortvliet

iets tastbaars heeft mijn bet-over grootvader mij toch nagelaten : zijn handtekening!

de vader van Cornelis,
mijn grootvader [4])

Zacharias Poortvliet

gedoopt te Dirksland 19-10-1738
overleden „ „ 28-11-1807

146

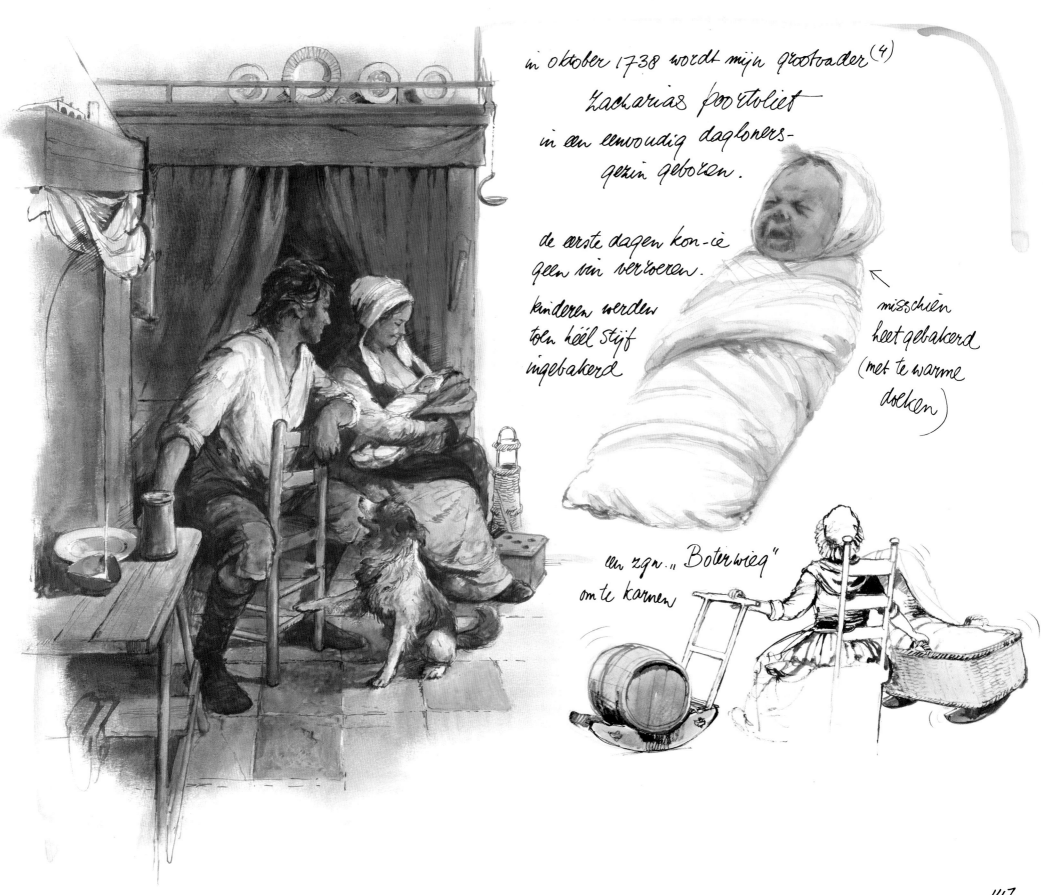

in oktober 1738 wordt mijn grootvader[4]

Zacharias poortvliet

in een eenvoudig dagloners-
gezin geboren.

de eerste dagen kon-ie
geen vin verroeren.

kinderen werden
toen héél stijf
ingebakerd

misschien
heet gebakerd
(met te warme
doeken)

een zgn. "Boterwieg"
om te karnen

147

148

- de winter van 1740 begon gewoon gezellig...
maar 't werd almaar kouder en kouder.

... tijding komt alle dagen dat er vele menschen
doodvroren...

... en ook op 't veld dood geseten...

de hongerig rondtrekkende
wolven in Gelderland
en Brabant werden
steeds brutaler!

in 1760 was daar een
wolvenplaag!

het was toen heel gewoon om hardwerkende
kinderen te zien.

en zo'n gezicht was toen ook
heel gewoon

vrouwen
rookten pijp.
dat was
normaal

dat kinderen zo met dieren
omgingen vond iedereen
doodgewoon
en niemand zei
daar iets van

hier stond boven de deur:

Ik woon hier op den hoek
Wat kon ik beter wenschen
Als zegen van den Heer
En nering van de menschen.

152

„Schurftig zijn leert seer wel krouwen!"
...erg fris waren de mensen toen niet:

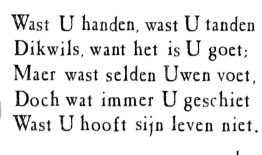

Wast U handen, wast U tanden
Dikwils, want het is U goet;
Maer wast selden Uwen voet,
Doch wat immer U geschiet
Wast U hooft sijn leven niet.

vader Cats

met gitzwarte voeten en verpieste onderbroeken
kropen onze voorouders de koets in ... ha!

(in die strozakken
zaten hele roedels muizen
die je knap uit de slaap
konden houden.)

Schape- of geitehuid

Sterker nog:

ze zaten gewoon op klaarlichte dag
buiten te schijten!

Stomdronken volk
zag je ieder uur
van de dag — d'r
wèrd wat
gezopen!

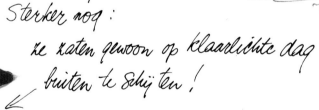

153

maar in Amsterdam was 't helemaal
een zootje!
daar kon je bijna iedere dag
op de Dam gaan kijken
hoe kwaaddoeners gestraft werden.
dat waren leuke dingen
voor de mensen!

'τ AMSTERDAMSCH
HOERDOM,
Behelzende

De liften; daar zig de Heeren en Hoere-Waar-
dinnen van bedienen; benevens derzelver
manier van leven, Politique freeken,
en in 't algemeen alles, 't geen by
deze Juffers in gebruik is.

De agfte Druk verbetert.

Te AMSTERDAM,
Gedrukt voor A. GOEJET. Boekverkoper aan den
Overtoom 1782.

maar het allervreemdste van Amsterdam
vonden de Flakkeeinaars wel dit : zo'n vracht laten slépen - terwijl
een kind weet dat 't op wielen
veel makkelijker gaat. en dat een paard zo beter trekt
dan zo !!

1751

als Zacharias 13 jaar oud is
kan hij met z'n vrienden
te <u>voet</u> Goedereede eens gaan
verkennen!

want dan zijn Westvoorne en
Zuidvoorne door een dam
met elkaar verbonden.

(Dirksland heeft dan ± 1000 inwoners)

OP DE VOLCKERAECK

156

jongetjes van een jaar of 13 konden gerust komen kijken

maar knapen die op vrijage uitwaren konden maar beter wegblijven !!

Zacharias kreeg gelukkig kennis aan een meisje
uit z'n eigen dorp
en trouwde - knap laat voor die tijd -
toen-ie 31 jaar was.

1769
den 20 Janu: Ondertrouwt
Zacharias Boorlelet J: M.
getrouwt des
19 Febr:
Geertje Kluyt J: D
bydehier geboren en thonende

op 30 december 1770 wordt Maatje, hun eerste
gedoopt.
(de dag erop wéér feest - oliebollen!)

het kind zal maar 2½ jaar
oud worden.
al hun kinderen zullen jong
overlijden...
alleen mijn opa³ Cornelis,
hun tiende,
zal in leven blijven.

zo hebben mijn grootouders⁴
negen maal hun huis
verlaten.

"daar komen meer kalfsvellen
dan ossche-huiden te markt"
zei men toen

KLAGT
VAN DEN
KLEINEN
WILLEM
OP DE DOOD VAN ZIJN ZUSJE

Ach! mijn zusjen is geftorven,
nog maar veertien maanden oud.
'k Zag haar dood in 't kisje liggen
ach wat was mijn zusje koud!
'k Riep haar toe: mijn lieve Miet
Mietje! Mietje! maar voor niet.
Ach! haar oogjes zijn gefloten;
fchreien moet ik van verdriet.

"kinder gedichten
van
Hiëronymus
van Alphen
1778

158

10ᵉ Februarÿ 1785.

mijn Opa⁴ wordt ingelijfd bij
de burger wagt van Dirksland

Tot Adelborsten benoemd en aan
gesteld de volgende persoonen.

Leendert Olijman
Cornelis Kruigthoff
Anthonÿ de Witt
Dingeman van den Sluis
Jan Ranke
Jan Looÿ
Zacharias Poortvliet ⟵

volgens het legermuseum moet grootvader dit pak gedragen hebben.
maar als je in de ordonnanties leest:

Niemand Zal met houte klompen ien de soeten
op de wagt moeen koomen off sl·ren Schilderen

Niemand Zal vermogen dronken ter wagt te koomen

dan ben ik bang dat 't niet helemaal model toeging bij de Nachtwacht
van
Dirksland!

1787
April
Den 22sten

Het kind Cornelis
Vader Zacharias Doortvliet
Moeder Geertje X Lugt
Getuige Pieternella Doortvliet

hun tiende kind, mijn bet-overgrootvader wordt gedoopt

1795 de "fluwelen revolutie

Franse bezetting

paarden vorderen op Flakkee

zo'n kleine 1½ eeuw later
stonden de Duitsers er
precies zo

160

HET DORP DIRKSLAND

Anna C. Brouwer fec.

Het vruchtbaar DIRKSLAND, is zeer oud ;
Legt aangenaam , zindelijk, wel bebouwd,
'T Dorp heeft daar bij tot nut een Haven,—
Die dorp – en veldlings winft' doem ftaaven .

in 1798 zat er een dame op de
Oost havendijk in Dirksland
te tekenen en dat zal de
dorpelingen zeker niet
ontgaan zijn !

Anna Brouwer zat er te
tekenen voor het boek van de
Stads - en dorpsbeschrijver

161

Datum der Aangeving.	Datum van 't Overlijden.	Naam.	Ouderdom.	Precife Woonplaats.
1807 Novemb. 21	21 Nov.	Pieter Zoon van Bastiaan Jongebloed en Cornelia Källe	4 : a M.	Dirksland
— 28	28 Dito	Zacharis Poortvliet	70 Jaar	—

Op 30 november 1807 is de begrafenis van
Zacharias, zoon van grootvader [5]

Cornelis Simonsz. Poortvliet

1709 – 1772

162

Cornelis Simonsz Poortvliet wordt
in 1709 geboren
hij is 23 jaar als bij Oude Tonge
deze boerderij „Bouwlust"
wordt gebouwd.
die boerderij staat er nog steeds..

163

er waren er genoeg die met eigen ogen een heks op de avond trek hadden zien vliegen

richting Sommersdijk
waar Hoosje Pik-bijeenkomsten
waren op de Kloosterwei.

in de tijd van mijn
grootvader Cornelis Symonsz
werkte de Heksenwaag
in Oudewater
niet voor toeristen lol!

een eenvoudige huis-
tuin-en keukenproef:
als je in het
hoofdkussen van het zieke
kind een krans veren aantrof was er
toverij in 't spel.

een met spelden volgestoken
zwarte kip onderdompelen
in kokend water
zorgde er dan voor
dat de heks zich
kenbaar maakte.

166

in 't zelfde jaar dat „Bouwlust" gebouwd wordt
(en Joh. Seb. Bach zijn koffiecantate schrijft)
wordt er in Dirksland aan de watermolen gewerkt.

en Cornelis Symonsz heeft trouwplannen,

dirksland
het begin van de
Boezem

maar geen geld zoals uit deze papieren blijkt:

1736

1736

getrouwd den
08 maert

Ceremonie

dat betekent gratis, van „de armen".

167

Dirkelandse Sas

de meeste bouwmaterialen ook de zware stenen van de Dirkslandse Kerk
kwamen per boot aan op Dirkslandse Sas dat er nu zo bij ligt

168

op 24 november 1749 overlijdt mijn
grootmoeder[5] Maatje

Cornelis blijft met 4 kinderen achter.

binnen 3 maanden (hij zal wel wat op
'4 oog gehad hebben) trouwt hij met Burgje.

Zij overlijdt op 17 januari 1758.

in maart komt Cornelis Symons 3

in moeilijkheden ⟶

Op Heden den 10en Maart 1758 Agt en Vijftig
op passeerende voor 't Collegie van Schout en Schepen,
en van Dirksland als Weesmeesteren aldaar
Cornelis Poortvliet, bevorens Weduwenaar van
Maartje Zacharias de Vander Goref en nu van Burgje
Johannisd. van Sa, tekenen gevaude dat hij bij
de eerstgemelde sijne huisvrou heeft geprocreëert
vier kinderen met namen Zacharias, oud 18 jaren,
Neeltje oud 15 jaren, Pieternella, oud omtrent 12
jaren, en Arend oud 10 jaren, en bij de laatst
gemelde sijne huisvrou een kind met name
Johannis, oud 4 jaren; Dat beide sijne voor u. huis
vrouwen in huis Leden sonder Testament te hebben
gemaakt, waer bevorens sijn komen te overlijden,
Dat hij Comptt tot nog toe met de naaste bloed
verwanten van voorn: kinderen van 's moeders Zijde
over 't moederlijk bewijs en Effortie van de voorn:
minderjarige kinderen Zijde uit niet hadde
geaccordeert; Derhalven sijn wij Schout en
Schepenen van Dirksland voorn't met denselve
overeengekomen en verdragen, Dat hij Comptt
sijne voorn: Agt minderjarige kinderen zal
moeten alimenteren, en van alle nodige lijf

169

dit zijn de munten
die mijn grootvader[5]
zo nodig had.

als hij 4 weken later voor de 3e maal
trouwt is 't weer 'in onvermogen'.

1758
dito —

Cornelis Poortvliet Wedr
van Dingetje van Ee
Door aange: vanuit den
Kinderlyken Staat te
trouwen met Maria van der
Gevel j: d. beide alhier
woonagtig en verklarende
te zijn in onvermogen

behoeftens te voorzien soo in Spijs, Drank, als klee-
deren, deselve later leeren lesen, Schryven en
Cijfferen, mitsgaders een bequaam ambagt
of andere eerlyke Exercitie, waarmede zy de
kost zullen kunnen winnen en dat tot hunne
mondige dagen, eerder huwelyken ofte andere
geapprobeerde Staaten en daaren boven aan ijder
van deselve uitkeeren Ses guldens Ses Stuivers
in plaats van der voorn. Kinderen respe. moederlyk
bewijs. Dat hy Compt. daarentegen zal blijven
in het geruste besit van den gehoolen boedel,
soo als die althans by hem Compt. word gepossi-
deert en by zyne voorn. huisvrouwe metter
dood zyn naagelaten soo in Latten als
in Effecten.
Aldus gedaan in den Raedkamer van Dirksland d'ee present
Collegie.

H Schravelaar
Hoogewaart
Cornelis Vonk
Huijnekins

voor de kinderen poortvliet was 't met het
luie leventje gedaan!
voortaan naar School - naar
meester Hendrik Schravelaar,
en van de ondertekenaars
van dit papier

171

de gemeenteschool
van
Dirksland
op de Ring

tarief:

leren lezen: 1 stuiver p. week

daarbij ook nog 's leren
Schrijven: 2 stuivers
en 4 penningen.

plus leren rekenen:
3 stuivers en
4 penningen per week

Hendrik Schravelaar
was school- ijk- en waagmeester, broodweger, doodgraver
en klokkeluider van 1729 tot 1760 voor ƒ 72.— per jaar

„Gij, die vermoeid zijt van het gaan,
Kom, rust wat in de Halve Maan!"

Stond er boven de deur van deze taveerne aan de dijk
tussen Dirksland en Sommersdijk.

mijn grootvaders kwam er regelmatig langs —
ik weet niet of z'n magere beurs 'm toestond
op de uitnodiging in te gaan.

173

Simon Poortvliet

wordt op 16 januari 1684 op Colijnsplaat (Noord Beveland) gedoopt.
als hij in 1704 met Pieternella van der Berge trouwt is alles botertje tot aan de rand...

4 jaar later begint het geduwel

Pieter Belleman   Frans de Neve   Symon Poortvliet   Adriaentie Munter

Frans de Neeff, Pieter Belleman en
Simon poortvliet werken gedrieën
bij een boer

Frans z'n vrouw . Adriaentie .
brengt hen doorgaans tussen de
middag hun twaalfuurtje .

zonder dat Frans het merkt
"groeit er iets" tussen
Adriaentie en Simon
dat draait hier op uit ———→

ergens in deze tijd wordt
grootvaders Cornelis geboren

Wij Schout ende Schepenen der Prochie ende Heerlijkheijd
van Colynsplaet ende noortbevelandt certefiseren ende
verclaren bij desen, dat françois de Neeff, sijnde onsen
borger ende Inwoonder, voor ons is gecomen ende —
gecompareert, te kennen gevende, dat desselfs
Huijsvrouwe Adriaentie Dircx Munter sijnde groff
swanger tusschen woonsdagh ende donderdagh des
nagts, den 3.e en 4.e april deses Iaers 1709 in stilte
is weghgegaen met haer mede nemende den meesten
Huijsraet, een bedde, een Kopere ketel, twee stucken
Linden, veele van desselfs hemden etc.a mitsgrs.
een groote Somme gelts: Ende wijders, dat eenen
Symon Poortvliet sijnde aen des comparants huijs seer
familiaer ende dagelijx converseerende, sigh selven
sedert den voors.t tijt heeft geabsenteert, —
verlatende sijn vrouw en kint, ende sulcx nade
alle presumptien auteur van dese desertie, ende
amotie sijner goederen; en alzoo hij comparant
gheresolveert is geworden deselve te agtervolgen
omme waxt moogelijck aen sijn weggevoerde
ende ontnomene goederen te geraken, soo heeft hij
dese onse certificatie versogt, dwelck wij hem
gaerne hebben verleedt, om hem te dienen
daer hij dese van nooden mogt hebben, aldus
gedaen den 15.e april 1709.

in 't kort: Frans de Neeff doet aangifte dat z'n
hoogzwangere vrouw met de Noorderzon vertrokken is
en dat Symon Poortvliet (de buurman, die altijd zo
leuk bij hun over de vloer kwam) eveneens verdwenen is.

Frans eist z'n spullen terug. over Adriaentie rept-ie niet..

om een of andere reden die hier waarschijnlijk mee te maken
heeft wordt mijn grootvader⁶ gevankelijk naar Middelburg
gebracht.
van Colijnsplaat met paard en wagen naar 't Ambacht van
Kampen en vandaar met het veer naar Veere

van Veere is het zo'n kilometer of 6
naar Middelburgh.

zo zag mijn grootvader Symon nog es wat ...

179

misschien heeft-ie vanuit de boevenwagen ↑
nog een glimp van het Hof van Holland
kunnen opvangen

180

hier werd Symon afgeleverd : het 's Graven Steen,

gevangen huys tot Middelburgh

en daar kon je je maar het best

gedeisd houden —

ze hadden

die duimschroeven

niet voor niks!

Pieternella, zijn

vrouw en zijn

ouders doen

wat ze kunnen →

———

7 maart 1710

✝ Compareerde voor Schepenen van colynsplaat en noortbeveland —

ondergenoemt , de ondervolgende persoonen dewelcke te

requisitie ende Scoucte van pieternella pieters huysvrouw

van Symon poortvliet , althans gedetineerde tot Middelburgh

mitsgrs: ter instantie ende versoucke van Jas poortvliet

des ouders oude pieternella simons resp. vader ende moeder

vande voorn. Symon poortvliet Verclare, voorde opregte waerhed

de welk 't geen hieraenvolgende is opgestelt. namentlyk

Andries
Verburgt

Andries Verburgt out omtrent 54 Jaar verclaart dat oigschijnlijke in verschijde rijse, heeft gesien dat Adriaentie Birxse Munter gewesen Huysvrouw van Frans de Neve, den gedetineerde Symon poortvliet heeft aenlijding gegeven tot debouches ende familjaire conversatie.

Claes
Lievensse

Claes Lievensse out omtrent 40 Jaren verclaard t'selve als hier voren, ende daar mede confirmeerende.

Corstiaen
Veel

Corstiaen Veel out 26 jaar verclaard dat lange jaren met den voornoemden Symon poortvliet heeft verkeert, ende noijt gesien ende aen hem bevonden als t'gene eerlijk ende betamelijk is.

Pieter Belleman out omtrent 35 jaren verclaert dat in den jare 1708 Frans de Neve ende Symon poortvliet met den Deponent lange tijt gevrogt hebbende, heeft gesien dat de genoemde Adriaentie Birxse, het Eten soo wel voor Symon als voor frans bragt soo dat sij t'samen gemeijnlijk spijsigde

Grietie Zegers out omtrent 57 Jaren verclaard te confirmeren met het voorgestelde van Pieter Belleman ende sulcs mede wel te hebben gesien.

Jannetie de Roy Huysvrouw van Hijndrik de Roy out 47 Jaar verclaard dat in de paesweek 1709 de voornoemde Adriaentie Birkx des nagts tusschen 11 à 12 uyren aen haar huys quam kloppen versouckende een wagen te huyren om een pakje goet à dry (Dat sij seijde op de straed stond) weg te brengen seggende groten haest hadde, mede helpende de paerden inspannen.

het gedoe in de nacht waarover
Jannetie de Roy vertelde.

het verhaal van Anna Munters is ook niet mis

adriaentie is net van plan
zich van het leven te beroven
door regael (ratten gif)
in te nemen.
Anna kan daar nog een
stokje voor steken.

zo zeggen verschillende lieden
getuigenverklaringen af ten
gunste van Symon Poortvliet

Anna Munters huijsvrouw van Cornelis Goeree out 40 Jaar
verclaert dat frans de neve aan haar huijs verscheijde rijsen is
gecomen uyt naam van zijn vrouw Adriaentie dat de deponente
bij haar zoude komen, voorgewend ziek te wezen, dat de
Deponente verscheijde rijsen door de voornoemde adriaentie wi
geld aengeboden, omden althans gedetineerde Sijmon poortvl
te halen, sulcx de deponente althoos heeft gewijgert
frans de neve, en sij adriaentie zelfs de gedetineerde
als dan halende ende familjaer daar mede verkeerde -
Wijders verclaerd de deponente dat gesien heeft
dat de voornoemde Adriaentie Dirkx eenig Vergift, regael
genaemt, in de hand hadde, seggende haarselven te
kort te willen doen, ende het regaal te willen innemen
ende deponante het pampiertie met regaal uijt haar
hand nam ende wegsmeet.

Jan Poortvliet
den Ouden

Pieternella
Simons

Pieternella Pieters

Andries
Verburgt

Corstiaen
Veel

Claes Kauwensse

Grietie Lagers

Pieter Belleman

Jannetie de Roy

Anna Munters

en vragen de rechters om
vergeving van Symens
misgrepen,
om genade en geen regt...

187

wanneer Simon weer vrij man was
en Walcheren mocht verlaten is niet bekend

188

Hekkingen

of de grond 'm te heet onder de voeten werd? in ieder geval:
Simon pakt z'n biezen en verlaat Zeeland
En zo zijn we dus op Flakkee verzeild geraakt.

in 1714 duikt hij in
Dirksland op waar hij
als weduwnaar van Pieternella
met Adriana trouwt →
Breed hadden ze het niet:

Den 21 Septb 1714

gettrouwt
Den xxxx
1714

Simon poortvliet wedr=
van Pietternella van den
berg met Adriana Tarins
J.d. beide wondude in dit 7de

11= decemb: Bill. Prodeo gegeven om Sijmen poort
vliets kint alhier te begraven. — Memorie

Den 26= April 1726 geeft aan
Simon Poort vliet om 't lijk
van sijn Kint te begraven en
Schaat te gegeven onder
Classis van onvmogen dus — Prodo.

Wed= van ad:
van u.s
Dito 29.= Dito geeft aan Simon Poort,
Vliet om in den huywelijks staat
te treden met Lysabet vande Lang,
Straat beyde Woonende alhier
en Schaat to gegeven onder Classis
Sis van onvmogen dus — Prodo.

op 31 oktober 1730 overlijdt Simon wiens „streek-"
romannetje zo keurig in oude boeken bewaard bleef

189

Jan Jansz
poort-vlier.

1650-1724

bay Jan Janssz

↑
hantmerck van Jan Jansz.

190

hij ziet zich al met zo'n jurk...

en zo'n snoezig broekje!

"kijk die malle fransche aepen "

zou Jan Jansz Poortvliet er
← zo uitgezien hebben?   Wie zal 't zeggen – in elk geval
niet zo belachelijk als z'n tijdgenoot Lodewijk XIV.
          ook niet zo deftig als de hoge heren →

over de kleding van onze eenvoudige voorouders
is weinig of niets bekend :
de gewone man gebruikte elk stukje textiel schoon op – niets ervan
                is ooit in een museum terechtgekomen

ook mijn grootvader Jan Jansz zal wel
landarbeider geweest zijn; knecht op zo'n boerderij. ik kan niet ontkennen dat m'n grootvader er nogal onvriendelijk bij staat
zo van : "wat mot je ?"
maar vergeet niet : in die dagen zwierf er overal
geboefte rond !

192

Was dat betrouwbaar volk dat daar het erf opkwam of waren het rondglurende deugnieten? Zo gauw was dat ook niet altijd te zien...

... en je had de brillenjood en de rattenvanger toch van tijd tot tijd nodig —

was het niet voor een bril of om de ratten een lesje te leren dan toch zeker voor de *Nieuwtjes!*

193

voor de laatste nattigheid
op het bord wordt even de
lepel genomen, die na gebruik
aan de volgende wordt doorgegeven.

na de maaltijd werd er een stuk uit Gods Woord
gelezen en een psalm gezongen

vader en moeder
zaten bij het eten — de kinderen stonden.

naast de Heilige Schrift werden ook
de werken van Vader Cats graag gelezen

je had geen boekhandel in Colijnsplaat.
boeken kocht je van de leur-kramer aan
de deur -
hij verkocht ook
was tafeltjes en
ABC bordjes voor de
schoolgaande jeugd -
die leerde op
school niet zo
bijzonder
veel :

eerst het alfabet,
dan de thien
gheboden,
de Hoofdartyckelen
onses Christelicken gheloofs,
Dat Vader onse, Van den doop,
Ghebeth smorgens int opstaen, tsavonds
int slapen gaen en Ghebeth voor Eten.
daarnaast een beetje rekenen.

al met al misschien toch meer dan je
vandaag de dag op de meeste scholen
kunt opsteken

ABC
plankje

Aa bcdefghij
klmnopqrzsss
tuvwxyz. &c.

Azbncrdwebfug
thssijskrlzmq
upossffslnst. & &c.

ABCDEFGHIJKLMN
OPQRSCUVWXYZ.

DE „BERCH" IN DE TUIN V.D. RENTMEESTER,
VLUCHTHOOGTE BIJ OVERSTROMING

HET „HEERENHUIS"

HUIS VAN JASPAER VAN CLOOTWIJCK,
RENTMEESTER V.D. PRINS PHILIPS WILLEM

REDOUTE", SOORT GESCHUTSKOEPEL

HERBERG „DEN OUDEN HOORN" VAN SUSANNEKEN BIERSTEKERS
(DE POORTVLIETEN KONDEN SOMS DE SLAAP NIET VATTEN
DOOR HET GELAL)

VAARGEUL NAAR DE OOSTERSCHELDE

- DE PLAAT

SLUISGANG

HAVEN

HIEROP SCHORREN GROEIT
ZEEKRAAL EN LAMSOOR
DAT DE MENSEN ALS
GROENTE ATEN

BLIK

DE BAKKER

IN EEN
VAN DEZE
HUIZEN WOONDE
DE FAM. POORTVLIET

VOORSTRAAT

CRUYS AGTERSTRAAT

WESTAGTERSTRAAT

STR.

DE DIJK

OOSTAGTERSTRAAT

meestoof

voorganger
Gereformeerde kerk
Ds. Eduaert
Adriaensz Boom

KERKHOF

OOSTAGTERWECH

Jan Cornelisz woont in een huis
in de Oostagterstraete.
(als later zijn zoon Jan Jansz
in 1695 hypotheek betaalt
gaat 't om hetzelfde huis.)

DEN MOOLE PADT

de molen van
Marinus Rijckers

zo ziet Colynsplaat
er uit in 't begin
van de 17ᵉ eeuw

198   206

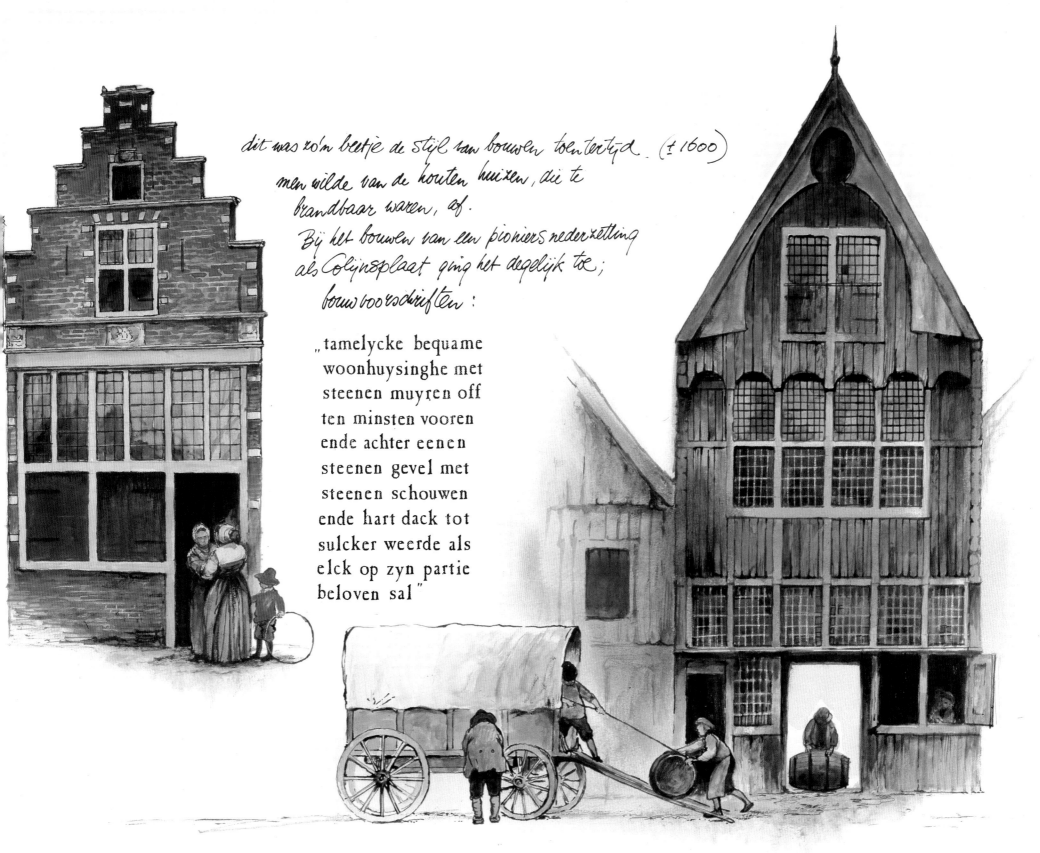

dit was zo'n beetje de stijl van bouwen toentertijd. (± 1600)
men wilde van de houten huizen, die te
brandbaar waren, af.
Bij het bouwen van een pioniersnederzetting
als Colijnsplaat ging het degelijk toe;
bouwvoorschriften:

„tamelycke bequame
woonhuysinghe met
steenen muyren off
ten minsten vooren
ende achter eenen
steenen gevel met
steenen schouwen
ende hart dack tot
sulcker weerde als
elck op zyn partie
beloven sal"

207

er werden maar enkele grotere huizen
gebouwd.

voor rentmeester van Clootwijck
en dominee Boom bij voorbeeld.

het merendeel zag er
ongeveer zo uit ⟹

dominee Boom staat hier in zijn achtertuin
een stevige preek te bedenken

feaster

het fraaie meubilair in het
huis van de rentmeester..

en de spullen
van mijn
voorouders

zo'n opgehesen etenswarenkastje was
onbereikbaar voor
ongedierte

209

de tijd van Jan Cornelisz Poortvliet was ook de
de tijd van d'Artagnan van de 3 Musketiers.
maar als U ze toevallig allebei tegenkwam
was 't meteen duidelijk wie wie was ...
want Jan hoorde bij de Schamele luyden; de Zandluyden
de dagloners, landarbeiders en dijkwerkers
en die hadden niet zo'n uitbundig bestaan

zo'n opgehesen etenswarenkastje was
onbereikbaar voor
ongedierte

Feester

het fraaie meubilair in het
huis van de rentmeester..

en de spullen
van mijn
voorouders

209

Mattenstoel

Blokstoel

Armstoel

Hoekstoel

Driestal

Kuipstoel

Kakstoel

Preekstoelt-

*(om mee te neme
naar de ke*

Opklapbare Rondeel

Schabel

Driepoot

Kuiptafel

Onderstel

(voor de tobbe e.d.)

Turfback

Keersenback

Wiegvoet

*Zulke meubelen
hadden ze toen*

Kog ofte Kasse

Schapraai

Liedecant *(Lit de Camp = veldbed)*

hèèl belangrijk was de haard!
kookgelegenheid + verwarming + verlichting.
dat was spannend 's ochtends:
zat er nog leven onder de as?
anders moest je naar
de buren om wat
gloeiende kooltjes

in de haard op de grond
het brandijzer.
of twee vuurbokken, en zo had je een
spit. (een vette bout kon zichzelf
bedruipen.)

turf,
hout en
koemest

asbak.

gloeiend houtskool werd na gebruik
in de doofpot gestopt —
later weer goed
te gebruiken
voor voetstoof
of beddepan

in de schoorsteen hangt de haal
aan de haak onderaan hang je
moeders pappot
of het
pan ijzer
waarmee je
een schotel
kan opwarmen
heet hangijzer

de schuren en hokken
van de Voorstraathuizen

mijn grootvader⁸ Jan Cornelisz voor z'n huis.
het was in de winter zó'n baggertroep
dat al gauw werd besloten om „ twee
                              dwersstraetkens"
                              aan te leggen
                              zodat je naar de
                              overkant kon komen.
_____

men was verplicht
's Zaterdags het
voetpad schoon
te schrobben .

Binnen hadden ze 't aardig voor elkaar, maar buiten was het
een rotsootje in de Oostagterstraat - allan langs de huizen
had je een „ vier voeten bræt steenpat van clinckaert,"
                    de middenstraat was modder.

de achtertuin was voor
„eigen eet"; de WC en het
barkenshok .

de chirurgijn en aderlater
Mr. Adriaen Blinckvliet
haalde dan de beide
pannen met bloed,
die door de week
als reklame voor
tijn huis stonden,
     binnen

212

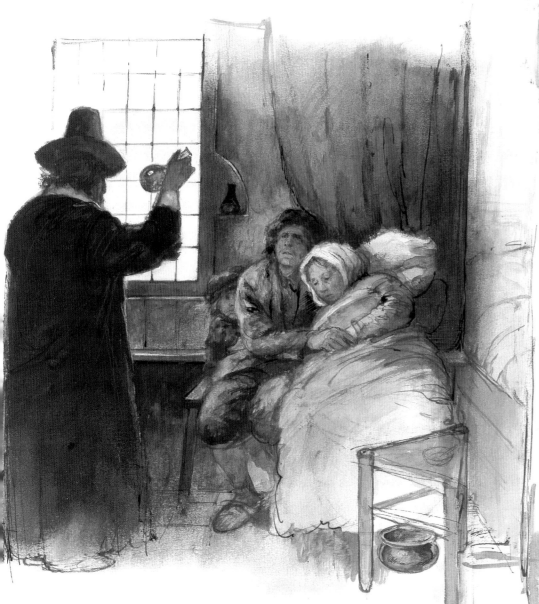

zo toegerust moest hij in 1625 weer de strijd aanbinden met de Heete Sieckte.

maar de mensen stierven bij bosjes aan de pest.

de lijken werden 's ochtends eenvoudigweg buiten naast de voordeur gelegd.

Welle Jans, die allerlei klusjes in het dorp moest opknappen

omdat-ie armlastig was... deed de hele dag niks anders dan kuilen graven tot-ie zelf viel...

aderlaten en nog eens aderlaten
en verder deed Chirurgijn Blinckvliet wat-ie kon
en dat was niet veel: polsvoelen, piskijken en gewichtig doen

voor dominee Boom kwam

„Godts rechtveerdighe ende welverdiende
straffe van dit Dorp van Colijnsplaat
ende het geheele eijlandt"

niet onverwachts.

„suipen en swelgen en vuijl foeien,
ontuchtich mallen, vechten en
onbehoorlijcke festijnen op de
Dag des HEEREN."

en hij hield een donderpreek!

schipper Eelleboo ↓

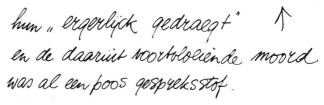

middenin de Hosea preek rent Barbel
tot voor de preekstoel en schreeuwt hoe hij — Ds. Boom —
zelf „oneerbaerheijt
had versocht ende
gepleeght op haeren
persoon."

Hoewel er in de preek niemand met name
genoemd werd was 't toch iedereen duidelijk dat
dominee Barbel Thonis en haar slettige dochter
Neelken op 't oog had ...

hun „ergerlijk gedraegt" ↑
en de daaruit voortvloeiende moord
was al een poos gespreksstof.

Eelleboo, de man van Neelken, had op wacht
één van z'n rotgezellen met een
„hertensteeck" vermoord die lallend had
beweerd dat Eelleboo z'n vrouw de hoer
speelde zodra haar man op zee was.

214

dat waren leuke dingen voor
de mensen!
daar zal de familie nog wel
lekker over nagekletst
hebben:
Barbel die door
ouderlingen de
kerk uit-gebonjourd
wordt!

'r gebeurde ook nog wel andere
interessante dingen in hun tijd –
terechtstelling van Oldenbarneveldt (1619)
eind 12 jarig bestand + de slimme ontsnapping
van Hugo de Groot in 1621. Maar dat haalde niet bij Barbel!

de tijd van Jan Cornelisz Poortvliet was ook de
de tijd van d'Artagnan van de 3 Musketiers.
maar als U ze toevallig allebei tegenkwam
was 't meteen duidelijk wie wie was ...
want Jan hoorde bij de Schamele luyden; de Zandluyden.
de dagloners, landarbeiders en dijkwerkers
en die hadden niet zo'n uitbundig bestaan

„Dit is U les
Staet op te ses
En eet ten tienen
Het sal U dienen.
En weer te ses
Soo streckt U mes
En slaept ten tienen
Het sal U dienen

(Jacob Cats)

de meeste mannen van Colijnsplaat werkten op het land.

er waren een stuk of twintig vissers

je had twee bakkers.

← Herman Geertsz

Theunken Baerentsz Oecker, slager en dakdekker

Jan Hubrechtsz Houte de Smid

drie timmerlieden

Dick Lodewijksz, de wagenmaker

217

in het jaar 1628 zetten de
Piet Hein bewonderaars
de bloemetjes flink buiten!!
het jaar erop trouwde
Jan Cornelisz Poortvliet
met Neelken - toen
moest er weer gehost
worden

Anno 1637.

Den 4. Ianuarij

Sijn angenomen met belijdenisse der geloofs
tot deze Gemijnte.

Gillis Geertsz, J.M. Sone van Neel Altwillensquaedt.

Jan Eermaerts, J.M. van Wingen in Vlaenderen; t'huis
liggende bij Jacob Gillisz van Orisande.

Theunis Barentsz, wonende achter de kercke in het
huis van Hendrick de Briese.

overleden den
7. Decemb. 1650.   Jan Corneliss poortbliedt, wonende in de oostacher straet.

Adriaen, hun eerste wordt op
13 okt. 1630 gedoopt

het doopceel van mijn opa[7],
hij wordt op 19 Juni 1650 gedoopt.
een half jaar later op 7-12-1650
overlijdt Jan Corneliss.

de doopgetuigen

219

mijn grootvader⁹

Cornelis
Adriaensz
poortvliedt

vind ik voorin de Gouden Eeuw bij een
legertje morsige kerels;
de dijkwerkers van Colijnsplaat

220

rauwe klanten die overal vandaan op het werk waren afgekomen
als vliegen op de stroop . 12 stuivers per dag.
geen leuk werk . maar:

„Wie niet pijnt ne moet niet eten."

zei Vader Cats die een eindje verderop, in Middelburgh,
een advokatenkantoor had

nee - als je er niets te zoeken had
kon je daar maar beter weg blijven!
wanneer de dijkgraaf om de
14 dagen z'n inspectie ronde
deed moest het werkvolk
minstens 2 roeden
afstand bewaren.

ze mochten op 't werk geen dolken
of ponjaarden hebben

van tijd tot tijd werd er ook
huiszoeking naar wapens
gedaan in de keten waarin
de dijkers moesten wonen.

er werd daar flink gedronken
en om het minste of geringste
konden er vechtpartijen
uitbreken...

223

Anno 1610

Anno 1610

hebben haar tot de gemeente begeven dese naervolgende personen den 10^{den} aprils Cornelis Adriaenz poortvliet, Matheus Jaspersz ende grietken Pieterse Eliasz.

Anno 1610

hebben haar tot de gemeente begeven dese naervolgende personen
den 10^{den} aprils Cornelis Adriaenz poortvliet, Matheus Jaspersz ende
grietken Pieterse Eliasz.

Hugo de Groot

Han Pieters Sweelinck

Peter Paul Rubens

Spinola

Joost van den Vondel

Jacob Cats

Johan van Oldenbarneveld

tijdgenoten van mijn
grootvader Cornelis.
als ze gewild hadden
hadden ze er bij
kunnen zijn die
tiende April
in 1610

224

toen het inpolderwerk klaar was zijn Sommigen van de dijkwerkers in Colijnsplaat blijven plakken —

(de Z.g.n. witrik koe)

Zeeuwse landgeit

— ze hadden kans gezien een vaste baan te vinden op een van de nieuw ge- bouwde hofsteden

zo zal 't ook met Cornelis gegaan zijn.

28 - 6 - 1620

na zijn werk liep hij nogal eens naar de herberg- d'r waren er vier...

es belast de Minister ende Mr. Boudewyn aente spreecken
Corn. Adriaansz. van Poortvliet, ende hem aente segghen alzo
hij de kerkelycke versamelinghe heeft versmaet dat men
hem om zyn dronckenschap van den avontmaele soude houden

225

mijn grootvader Cornelis Adriaensz was een dorstig man…

226

maar niet alleen hij-
iedereen, groot en klein,
dronk toen veel bier;
het drinkwater was
vaak onbetrouwbaar
en schaars.

en voor je 't wist nam je er
toch eentje te veel ...

die Vincent Pietersz is òf
een vervelende klier
òf een toeziend Broeder

6-9-1620

alzo eenighe broederen waeren geargert in de persoon van
Cornelis Adriaensz es die gelast hem daer van aen te spreecken
mits dat hij sal inbrengen syn wedervaren

7-2-1621

alzo Cornelis Adriaensse in syne dronckenschap continueert
boven syn voorgaende belofte wert hem het avontmael
verboden tot dat hy hem christelyck aanstelt

6-6-1621

alzo Vincent Pietersz Cornelis Adriaensse ontmoet
es op Weelsteenshof synde gansch dronckich wert
geoordeelt dat hij daerom van den avontmaele sal blijven
gelyck syn huysvrouwe sulcx uit ommegaen sal aenge-
seyt werden

de ruzie met Frans Wecksteen is
op een flinke vechtpartij uitgelopen.

toen Cornelis Adriaensz hertrouwde,
met Magdalena van Gelder,
verliep de bruilooft ook niet
helemaal vlekkeloos

Consistorie gehouden den
4. November, A⁰. 1635.

Het is van de Broeders goedtgevonden dat men Cornelis van port-
vlied is voor den kerckeraedt ontbieden souden ende hem te bestraffen
over syn onbehoorlyck comportement in een seecker Herberge tegens
Frans Wecksteen, ophalende deselve dingen, waarover sy tevooren
met malcanderen waeren versoent, ende tot den Avontmael toegelaeten

4-11-1635

Consistorie gehouden
den 7. feb. A⁰. 1638.

Het is van de Broeders goedtgevonden dat men in den
ommeganck voor het Avontmael Jan van Asperen eens
soude aenspreecken over syn onbehoorlyck comportement
op de bruilooft van Cornelis Adriaensz van poortvliet

7-2-1638

Jan
van
Asperen

op de bruilooft
van poortvliet.

229

in 1639 vernietigt Maarten Harpertsz.
Tromp de Spaanse Armada!
Schitterend!

Met het huwelijk van Magdalena
en Cornelis ging het niet
zo best — Sla er de
kerkeboeken maar op na ...

Consistorie ghGouden den
6. April, A°. 1641.

Cornelis Adriaensz van poortvliedt, ende Magdalena Willems sijn
huisvrouwe is mede van de broeders belast voor desen tijt af te
blijven van het Avondtmael des Heeren, ende dat van wegen
eenige onlangs gegevene ergernisse.

Cornelis Adriaensz van Poortvliedt ende Magdalena Willems sijn
huisvrouwe is mede van de broeders belast voor desen tijt af te
blijven van het Avondtmael des Heeren ende dat van wegen
eenige onlangs gegevene ergernisse.

6-4-1641

Consistorium ghGouden
den 24. Sept. A°. 1645.

Naedemael men verstaen heeft dat Cornelis Adriaensz van portvliet
ende Magdalena van Gelder sijn huisvrouwe, niet op behoorlicke wijse
't samen huis en houden, maer verscheiden eten ende drincken, ende van
malcanderen slapen, soo is geoordeelt daernae te vernemen ende
haerbeide daer over aen te spreken.

Naedemael men verstaen heeft dat Cornelis Adriaensz van portvliet
ende Magdalena van Gelder sijn huisvrouwe, niet op behoorlycke wijse
't samen huis en houden, maer verscheiden eten ende drincken, ende van
malcanderen slapen, soo is geoordeelt daernae te vernemen ende
haerbeide daer over aen te spreken.

24-9-1645

230

Consistorium gehouden
den 25. Martii A° 1646.

[handgeschreven tekst]

De wijle men van de huishoudinge van Cornelis Adriaensz
Poortvliedt met sijn huisvrouwe ende van Maycken Jacobs met
haren man Lodewyck Hubrechtsz Schipper, oock noch geen beter-
schap en verneemt, soo is mede voorgoedt geoordeelt deselve
voor als noch van het Avondtmael te houden.

25~3~1646

1646

was ook het jaar waarin
Jan Claassen werd geboren.
met Katrijn zou hij een
berucht koppel vormen.

Consistorium gehouden
den 3. feb. A° 1647.

[handgeschreven tekst]

Het is van de broeders voor goedtgevonden Cornelis Adriaensz
Poortvliedt aen te spreken over sijn drincken ende ergerlicke maniere van doen op den dag van het voorgaende Avondtmael.

3~2~1647

← dit kon wel eens slaan op uitspattingen
tijdens de koude kermis (in januari;
er was ook een warme in de zomer)

.. wéér niet toegelaten...

na het massaal uit de ban
springen tijdens de kermis
konden de Broeders eigenlijk
wel iedereen aanspreken vanwege hun
onbehoorlijcke Comportement!

suipen, swelgen
en
mallen

de meiden sliepen de nacht
voor kermis met een natte doek
om hun nek om een mooie,
vlooiebeet vrije hals te hebben
op het feest

bij de kermis hoörde markt —
je kon er een paard kopen of een nieuwe zondagse hoed,
je rotte kies laten trekken

en je kopzorgen voorleggen aan
een deskundige

en de mensen keken
hun ogen uit !
„wat maeckt men niet
om gelt !"

233

ze hadden er een half jaar voor gespaard
en wilden alles genieten
wat er te genieten viel - de akrobaten,
de dansende beer, de zigeunerin die
de toekomst voorspelde,

het hossen en springen,

tot en met de

vechtpartijen waarmee
de lol steevast
eindigde -

(voor het bekke snijden
hadden ze messen met
rondgeslepen punt)

234

6. Iulij, A⁰. 1647.

Dewijle de broeders werom verstaen hebben dat Cornelis Adriaensz poortvliet ende sijn huisvrouwe onstichtelick met malcanderen leven, slapende ende etende verscheyden, soo hebben se voor goedt gevonden deselve mede te laeten aenseggen, om haer voor dese reyse van het Avondtmuel te houden, om geen ergernisse te geven.

6-7-1647

Dewijle de broeders werom verstaen hebben dat Cornelis Adriaensz Poortvliet ende sijn huisvrouwe onstichtelick met malcanderen leven, slapende ende etende verscheyden, soo hebben se voor goedt gevonden deselve mede te laeten aenseggen, om haer von dese reyse van het Avondtmael te houden, om geen ergernisse te geven.

Den 29. Martij, A⁰. 1648.

De omgaende broeders op het dorp hebben oock in last om te vernemen nae de maniere van huishoudinge van Cornelis poortvliedt met sijn vrouwe,

29-3-1648

De omgaende broeders op het dorp hebben oock in last om te vernemen nae de maniere van huishoudinge van Cornelis poortvliedt met sijn vrouwe.

Consistorium gehouden
den 3. April A⁰. 1649.

Sij hebben oock ingebrocht, als dat se Cornelis Adriaensz poortvliedt met syne huisvrouwe hadden bestraft over hare onchristelijcke huishoudinge, ende haer alle beyde werom hadden doen blijven van het gebruick des H. Avondtmael.

3-4-1649

Sij hebben oock ingebrocht, als dat se Cornelis Adriaensz poortvliedt met syne huisvrouwe hadden bestraft over hare onchristelijcke huishoudinge, ende haer alle beyde werom hadden doen blijven van het gebruick des H. Avondtmael

en tussen Cornelis
en Magdalena
boterde het ook
almaar niet

dus zat mijn grootvader⁹ nogal eens in de Herberg ..
daar kon-ie over de goeie ouwe tijd praten
of interessante nieuwtjes vernemen van vreemde Signeurs
die de Oude Hoorn aandeden .

en dan de verhalen van zeelui,
terug van een reis ..
hoe ze met hun VOC Schip
naar Afrika zeilden
om pikzwarte heidenen
in te laden!
Jan Pietersz. Coen,
Abel Tasman,
Scheurbuik, kielhalen,
zeerovers ...
dat waren nog eens
verhalen !

en ook al kwam er weer een kras
bij op z'n kerfstok –
Cornelis Adriaensz.
nam er nog
eentje op de pof

236

van de Broeders werd Cornelis niet alleen bestraffend aangesproken –
van augustus 1647 tot aug. 1649
kreeg hij om de veertien dagen
ook geld van de kerk !

het waren zijn twee laatste levensjaren.

beleefd doen
tegen de Broeders !

(oud handschrift)

op 20 Augustus 1649 wordt mijn grootvader⁹
Cornelis Adriaensz Poortvliet begraven.

de klok wordt 2 x ½ uur geluid
en dat kost dan 3 Schellingen.
de huur van het grote zwarte doodkleed
bedraagt 3 Schellingen en 4 groten.

ik heb zo het idee dat mijn opa⁹
een aardige opa was.

Adriaen
poortbliedt

238

mijn grootvader[40], die zo rond 1560 geboren is heet Adriaen.

dat is alles wat ik van 'm weet – het pad loopt dood.
alle oude papieren van vóór 1600 zijn in 1940 bij een bombardement op Middelburg verbrand ..

misschien heeft Adriaen in het dorpje Poortvliet op het eiland Tholen gewoond
en misschien is-ie in november 1570 vandaar verdreven toen de
Allerheiligenvloed er zo verschrikkelijk huishield ..

wie zal 't zeggen

mijn grootvader Adriaen had me alles kunnen vertellen over de Watergeuzen voor Den Briel,
Alva, Willem van Oranje, het Leidens ontzet .. dat was zijn tijd

Toen dit boek af was (de pagina's waren op) ben ik eens naar Zeeland gereden.
ik heb in het dorpje Poortvliet de oude Hervormde Kerk eens van buiten en van binnen bekeken
en er ook even stiekem op het orgel gespeeld.

in Colijnsplaat heb ik het stukje gewandeld van de Oostagterstraat (die nu Irenestr. heet)
tot aan de Kerk zoals Cornelis Adriaensz en de zijnen dat zo vaak gelopen hebben.
het was er allemaal; de Voorstraat met op de hoek de herberg „de oude hoeve", die nu
de Patrijs heet, en de kruisstraat ..

en op de dijk, waar Cornelis Adriaensz. Poortvliet met zijn kruiwagen zeulde,
heb ik naar het grote water kijkend een pijpje staan roken.
zoals mijn grootvaders dat daar stellig ook deden ...

Rien
x
Poortvliet

1e druk, april 1987
4e druk, april 1996
5e druk, september 1997

ISBN 90 242 4800 0
NUGI 641
© Uitgeversmaatschappij J.H. Kok BV - Kampen, 1987